GRAZIA DELEDDA

L'EDERA

EDIZIONE SEMPLIFICATA AD USO SCOLASTICO E AUTODIDATTICO

Questa edizione, il cui vocabolario è composto con le parole italiane più usate, è stata abbreviata e semplificata per soddisfare le esigenze degli studenti di un livello leggermente avanzato.

A cura di: Solveig Odland
Consulente: Ettore Lolli
Illustrazioni: Vif Dissing

© 1978 ASCHEHOUG A/S
ISBN Danimarca 87-429-7796-7

Stampato in Danimarca da
Sangill Bogtryk & offset, Holme Olstrup

GRAZIA DELEDDA

Nacque a Nuoro, Sardegna, nel 1871. Cominciò giovanissima a pubblicare novelle su un giornale di moda. Nel 1895 il suo romanzo 'Anime oneste' la rese nota nel mondo letterario; da allora si stabilì a Roma dove morì nel 1936.

Le sue opere hanno in genere per sfondo la Sardegna, e l'aspetto più originale del suo stile è la fusione dei personaggi con la natura selvaggia e primitiva. La sua arte è profondamente romantica e lirica ma allo stesso tempo descrive realisticamente personaggi ed ambienti.

Le fu attribuito il Premio Nobel nel 1926.

Tra i romanzi più famosi sono: 'La via del male' (1896), 'Elias Portolu' (1900), 'Cenere' (1903), 'L'edera' (1908), 'Canne al vento' (1913), 'Il Dio dei viventi' (1922).

1

Era un sabato sera, la sera prima della festa di San Basilio, il santo del paese di Barunèi. Da lontano si sentivano confusi rumori, qualche *razzo* che scoppiava e voci di *fanciulli;* ma nella piccola strada s'udiva solo la voce di don Simone Decherchi.

«Intanto il fanciullo è scomparso» diceva il vecchio nobile, che stava seduto davanti alla porta della sua casa e discuteva con un altro vecchio, *ziu* Cosimu Damianu, *suocero* di un suo figlio. «Chi l'ha veduto? Dov'è andato? Nessuno lo sa. La gente crede che l'abbia ucciso il padre . . . E tutto questo perché non c'è più timor di Dio . . . ai miei tempi la gente non osava neppure figurarsi che un padre potesse uccidere il figlio . . .»

«Timor di Dio, certo, la gente non ne ha più» rispose ziu Cosimu, «ma questo non vuol dire. Il ragazzo scomparso, il figlio di Santus il *pastore,* era un vero diavoletto. A tredici anni rubava come un vecchio ladro, e Santus non ne poteva più. Lo ha picchiato, e il ragazzo è scomparso, se n'è andato in giro per il mondo e ora la gente stupida va dicendo delle cose terribili.»

Don Simone *scuoteva* la testa e guardava in fondo alla strada dove una donna vestita di nero si avanzava lungo i muri delle basse case grigie e nere.

La casa Decherchi era antica e cadente, ma conservava una certa aria di potenza e d'autorità che la rendeva ben

---

fanciullo, ragazzo
ziu, zio; in Sardegna si dice anche a persone non appartenenti alla famiglia
suocero, padre del marito o della moglie
pastore, chi guida al *pascolo* le bestie. Vedi pag. 16
scuotere, agitare più volte da una parte all'altra

diversa dalle altre casette povere del *villaggio* e la gente era abituata a considerare la famiglia Decherchi come la più antica e nobile del paese.

Don Simone *assomigliava* alla sua casa, anche lui cadente e *fiero*. Aveva gli occhi neri, i capelli bianchissimi e la barba corta e bianca a punta. E ziu Cosimu, che viveva insieme con i Decherchi, assomigliava a don Simone. Aveva la stessa altezza, gli stessi capelli bianchi, la stessa voce. Però qualcosa di volgare lo distingueva da don Simone e rivelava in lui il vecchio *lavoratore* umile.

«Ma, figlio di Sant'Antonio» continuò ziu Cosimu, «perché pensi sempre male del prossimo?»

---

villaggio, piccolo paese di campagna
assomigliare, essere simile a qlcu. o qlco.
fiero, che ha buona opinione di se stesso e dei propri meriti
lavoratore, chi lavora

5

Don Simone disse serio: «I tempi sono cattivi. Non c'è timor di Dio, e tutto è possibile, ora. I giovani non credono in Dio, e noi vecchi ... siamo deboli, senza energia ... e tutto va di male in peggio.»

«Questo, forse è vero!» esclamò ziu Cosimu e cominciò a picchiare il *bastone* per terra e non parlò più.

Don Simone lo guardò e disse: «Ne vedremo, se vivremo, Cosimu Damià!»

Tutti e due pensarono alla stessa cosa, o meglio alla stessa persona.

Intanto una donna *anziana* aveva salito la strada e s'era fermata presso i due vecchi.

«Dov'è Rosa?» domandò.

«Dev'essere nel cortile, con Annesa» disse ziu Cosimu alla figlia.

«Dio, che caldo: in chiesa si soffocava» riprese la donna, che era alta, con gli occhi neri e i capelli grigi. S'avviò per entrare, ma prima si volse e disse: «Paulu non è tornato? Non è tornato a quest'ora, non arriverà più, per stasera. Ora prepareremo la cena.»

«Che abbiamo da mangiare, Rachele?» domandò don Simone.

«Abbiamo ancora le *trote*. Meno male, non abbiamo ospiti.»

«Eh! Possono arrivare ancora!» esclamò ziu Cosimu. «L'albergo è povero, ma è ancora comodo per quelli che non vogliono pagare!»

«Avevamo le trote e non ricordavo!» esclamò don Si-

---

bastone, vedi illustrazione pag. 5
anziano, di età avanzata
trota, pesce d'acqua dolce

mone allegro. «E se arrivano ospiti ce n'è anche per loro! Sì, ricordo, per la festa arrivavano molti ospiti; c'è stato un anno che ne abbiamo avuti dieci o dodici. Ora la gente non va più alle feste, non vuol sentire più parlare di santi.»

«Adesso la gente è povera, Simone mio; vive lo stesso anche senza feste.»

Donna Rachele attraversò l'*andito* ed entrò nella camera in fondo accanto alla cucina. Mentre si levava e piegava lo *scialle* una voce *dispettosa* disse:

«Rachele, ma potresti accenderlo, un *lume!* Mi lasciate solo, mi lasciate al buio come un morto . . .»

«Zio, è ancora giorno, e si sta più freschi senza lume» rispose lei con la sua voce dolce. «Adesso accendo subito.»

Donna Rachele accese il lume e lo mise sulla grande tavola in fondo alla stanza. La vasta camera piuttosto bassa e *affumicata* apparve ancora più triste alla luce gialla del lume ad olio. Anche là dentro tutto era vecchio e cadente, ma i mobili conservavano nella loro miseria qualche cosa di nobile. Su un letto, in fondo alla camera, stava seduto un vecchio *asmatico* che respirava con fatica.

«Si sta freschi, sì, si sta freschi» egli riprese, «potessi star fresco almeno! Annesa, figlia del diavolo, se tu mi portassi almeno un po' d'acqua!»

---

andito, vedi illustrazione pag. 18
scialle, vedi illustrazione pag. 5
dispettoso, che dà fastidio
lume, vedi illustrazione page. 50
affumicato, diventato nero dal fumo
asmatico, che soffre di *asma,* cioè di una malattia con improvvise difficoltà di respirare

7

Donna Rachele si affacciò all'*uscio* della cucina, ancora più vasta e affumicata della camera. «Annesa, vieni dentro, è tardi. Porta un po' d'acqua a ziu Zua.»

Annesa entrò, prese la *brocca* dell'acqua e ne versò un bicchiere.

«Annesa, la porti o no quest'acqua?» ripeteva il vecchio asmatico.

Annesa entrò nella camera, s'avvicinò al letto, il vecchio bevette, la donna lo guardò. Mai figure umane s'erano assomigliate meno di quei due.

Lei era piccola e sottile; pareva una bambina. La bocca un po' grande, dai denti bianchissimi e uguali sorrideva crudele, mentre gli occhi azzurri erano dolci e tristi;

---

uscio, porta

8

un sorriso di vecchia cattiva e uno sguardo di bambina triste erano in quel viso di serva *taciturna,* la cui testa si piegava all'indietro quasi abbandonandosi al peso d'una enorme *treccia* bionda. Era piena di grazia e sembrava giovane, soltanto le mani lunghe e magre rivelavano la sua vera età.

Il dolore aveva segnato tutto il corpo del vecchio asmatico. Egli lo diceva sempre:

«Io vivo solo per tremare di dolore.»

Ogni cosa gli dava fastidio, ed egli era di grande fastidio a tutti, pareva vivesse solo per far pesare il suo dolore sugli altri.

Annesa tornò in cucina e mise il bicchiere accanto alla brocca, poi uscì nel cortile, ed accese il fuoco in un angolo sotto la *tettoia.* D'estate, perché il fumo non entrasse nella camera dove stava il vecchio asmatico, lei *cucinava* fuori, in quell'angolo di tettoia trasformato in cucina.

La luna nuova, che cadeva sul cielo ancora pallido, illuminava il cortile lungo e stretto. S'udivano voci lontane e razzi che scoppiavano. Una bambina di sei o sette anni, con una enorme testa coperta di pochi capelli biondi, s'affacciò alla *porticina* dell'orto.

«Annesa, Annesa, vieni; di qui si vedono bene i razzi» gridò con una vocina di vecchia *sdentata.*

«Rientra tu, piuttosto, Rosa: è tardi ... i razzi si vedono anche stando qui.»

Qualche razzo, infatti, attraversava il cielo pallido, e pareva volesse raggiunger la luna prima di scoppiare.

---

taciturno, che parla poco
cucinare, far da mangiare
porticina, piccola porta
sdentato, che ha perduto i denti

«Cadono molto lontano? Nel bosco?» domandò agitata Rosa.

«Oh, più lontano, certo» rispose la donna.

«Dove, più lontano? Ti pare che qualcuno cada vicino al babbo mio? E se gli cade addosso?»

«Chi sa!» disse Annesa. «Credi tu, Rosa, che egli possa tornare stasera?»

«Io, sì, lo credo!» esclamò la bambina. «E tu, Anna?»

«Io non so» disse la donna. Le dispiaceva di aver parlato. «Egli torna quando vuole.»

«Egli è il padrone, vero? Egli è tanto forte, egli può comandare a tutti, vero?» domandò Rosa, ma in un tono che non ammetteva un no. «Egli può fare quello che vuole; può fare anche il cattivo, vero? Nessuno può toccarlo, vero?»

«Vero, vero» ammise la donna con voce grave. Tacquero tutt'e due.

«Annesa» gridò d'un tratto Rosa, «eccolo, viene! Sento il passo del cavallo.»

Ma l'altra scosse la testa. No, non era il passo del cavallo di Paulu Decherchi. Lei lo conosceva bene, quel passo di cavallo che ritornava stanco dopo un lungo viaggio. Eppure il passo si fermò davanti al *portone*.

«Credo sia un ospite» disse Annesa annoiata. «Speriamo che sia il primo e l'ultimo.»

Ma donna Rachele uscì nel cortile e disse con gioia:

«Lo dicevo, che non era tempo di disperare. Ecco un ospite!»

«Bella notizia!» rispose l'altra.

«Apri il portone, Annesa. Non è bella una festa se non si hanno ospiti in casa.»

---

portone, porta grande, qui l'ingresso del cortile

Un *paesano* era sceso dal cavallo e salutava i nonni ancora seduti davanti alla porta.

«Stanno bene, che Sant'Anna li conservi!»

«Benissimo» rispose don Simone. «Non vedi che sembriamo due giovanotti?»

«E Paulu, Paulu, dov'è?»

«Paulu tornerà forse domani mattina: è andato a Nuoro* per affari.»

«Donna Rachele, come sta? Annesa, sei tu?» disse l'ospite, entrando nel cortile e tirandosi dietro il cavallo. «Come, non hai ancora preso marito? Dove leghiamo il cavallo? Qui sotto la tettoia?»

«Sì, fa da te» rispose donna Rachele. «Fa il tuo comodo come se fossi in casa tua. Lega il cavallo qui sotto la tettoia, perché nella stalla non c'è posto.»

Annesa provò quasi gusto al sentir donna Rachele mentire.

'Sì' pensò 'la festa non è bella senza ospiti, ma intanto anche i santi devono dire qualche bugia perché il tetto della stalla è rovinato e non si trovano i soldi per accomodarlo . . .'

«Le tue sorelle stanno bene?» domandò poi donna Rachele, aiutando l'ospite a legare il cavallo. «E la tua mamma?»

«Tutte bene, tutte fresche come rose» esclamò l'uomo ed entrò con donna Rachele.

Nella camera del vecchio asmatico, che serviva anche da sala da pranzo, l'ospite si avvicinò a ziu Zua.

«Come va, come va?» gli domandò, guardandolo curiosamente.

---

paesano, abitante di paese
*città della Sardegna, capoluogo di procincia

Il vecchio *ansava* e con una mano si toccava il petto sul quale teneva una *medaglia* al valor militare.

medaglia

«Male, male» rispose, guardando fisso l'ospite, che non aveva subito riconosciuto. «Ah, sei tu, Ballore Spanu. Ti riconosco benissimo, adesso. E le tue sorelle hanno preso marito?»

«Finora no» rispose l'uomo, un po' seccato per questa domanda.

In quel momento i due nonni rientrarono, trascinandosi dietro le sedie, e si misero a tavola, insieme con l'ospite, donna Rachele e la *bimba*.

«Questa è la figlia di Paulu?» domandò l'uomo, guardando Rosa. «Ha questa sola bambina? Non pensa a riprender moglie?»

«Oh, no» rispose donna Rachele, con un sorriso triste, per ora non pensa affatto al matrimonio. Sì, questa è la sua unica bambina. Ma serviti, Ballore, tu non mangi niente? Prendi questa trota, vedi, questa.»

Mentre così *chiacchieravano*, si sentì picchiare al portone.

«È forse babbo» gridò Rosa, e corse a vedere.

Un altro ospite parlava con Annesa davanti al portone. Era un uomo magro e nero, vestito male.

«Io sono di Aritzu*» diceva l'ospite, «mi chiamo Mel-

---

ansare, respirare con difficoltà
bimba, bambina
chiacchierare, parlare di argomenti di poca importanza
*città della Sardegna

I 2

chiorre Obinu. Vengo da Pasquale Sole, grande amico di don Simone. Ho una lettera per lui.»

Annesa fece entrare l'ospite e andò ad avvertire don Simone. Il vecchio nobile lo invitò a cenare con loro. Ma il nuovo ospite volle restare in cucina. Doveva essere molto povero. I suoi grandi occhi tristi parevano gli occhi stanchi di un malato. Annesa lo guardava e sentiva cadere la sua rabbia. Dopo tutto, poiché i Decherchi insistevano ad apire la loro casa a tutti, meglio dar da mangiare ai poveri che ai ricchi *scrocconi* come quel Ballore Spanu.

«Ecco, mangia questa trota» disse offrendogli una parte della sua cena. «Adesso ti darò anche da bere.»

«Dio te lo paghi, sorella mia. Sei la serva, tu?»

«Sì.»

«Ma sei del paese, tu? Mi pare di no . . . Di dove sei?»

«D'un paese del mondo . . .»

L'ospite povero si versò un altro bicchiere di vino, e diventò allegro.

«Sei fidanzata?» chiese alla donna. «Se no, guarda bene se ti convengo. Sono venuto per vendere *sproni* e *briglie* e per cercarmi una sposa.»

Ma questo scherzo non piacque ad Annesa.

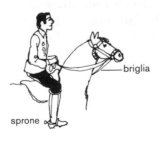

briglia

sprone

---

scroccone, chi si gode qlco. alle spese d'altri

«Ho già il fidanzato» disse ed entrò nella sala da pranzo.

«Non aspettavamo ospiti» si scusava donna Rachele, rivolgendosi a Ballore Spanu. «Perdona, dunque, Ballore, se ti trattiamo male.»

«Voi mi trattate come un principe» rispondeva l'ospite e mangiava e beveva allegramente.

Anche i due nonni scherzavano. Don Simone era, o sembrava, lieto e tranquillo come Ballore l'aveva sempre conosciuto.

«Ricordo, una volta Paulu venne a trovarmi al mio paese» incominciò l'ospite, «e entrambi partimmo insieme, e per un mese le nostre famiglie non seppero nulla di noi. Andammo di festa in festa, di villaggio in villaggio, sempre a cavallo. Dio mio! Come si è pazzi quando si è giovani! Abbiamo *sprecato* molti denari, bisogna confessarlo . . .»

Un'ombra passò sul viso pallido di donna Rachele, e ziu Cosimu disse:

«Paulu è buono, buono come il pane, ma è stato sempre un giovane troppo allegro, ha goduto la vita in tutti i modi.»

«Bisogna godere finché si è giovani!» esclamò l'ospite.

«Io sono stato giovane, ma sono stato sempre serio» gridò il vecchio arrabbiato. «E . . . e . . . Io . . . Vittorio Emanuele . . . la medaglia . . . Ho lavorato sempre . . . io . . . mentre gli altri . . .»

«Figlio di Sant'Antonio» disse ziu Cosimu, alzando le mani, «perché arrabbiarti così? Vedi che ti fa male?»

Annesa andava e veniva. Era diventata pallidissima, e guardava il vecchio con uno sguardo di odio. D'un tratto

---

sprecare, consumare inutilmente; spendere male

uscì nel cortile e l'ospite povero la sentì parlare con un uomo:

«Egli parla male di don Paulu» diceva la donna «e gli altri lo lasciano dire ... Ah, se potessi, lo butterei giù dal letto . . .»

«Ma lascialo dire» rispose una voce d'uomo. «Nessuno lo ascolta.»

Poi le voci tacquero. Un giovane servo senza barba, dagli occhi dolci, coi capelli neri divisi sulla fronte, entrò in cucina.

«Salute, l'ospite» disse, e si sedette.

«Salute» rispose l'altro, guardandolo attentamente.

«Annesa, mi darai da mangiare? Sono tornato tardi, perché sono stato a vedere i *fuochi artificiali*» disse il servo. «Che cosa bella! Pareva che tutte le stelle del cielo cadessero giù sulla terra.» E rideva come un fanciullo.

Ma Annesa era di cattivo umore: gli porse da mangiare e tornò fuori.

«Che ragazza seria» disse l'ospite. «Bella, ma seria.»

«Ohè, è inutile che tu la guardi» esclamò il servo che era molto allegro, «siamo fidanzati. Io e lei siamo qui, più che servi, figli di famiglia. Annesa anzi è *figlia d'anima* della famiglia Decherchi. Devi sapere che don Simone è stato quasi sempre sindaco di questo paese. Non si contano le opere buone che ha fatto. Ora avvenne che molti anni fa, capitò alla festa un vecchio *mendicante* accompagnato da una bambina di tre anni. Un bel momento quest'uomo fu trovato morto, dietro la chiesa. La bambina

---

fuochi artificiali, razzi
figlia d'anima, figlia *adottiva,* cioè assunta in posizione simile a quella di figlia propria
mendicante, chi vive di carità

piangeva, ma non sapeva dire chi era. Allora don Simone la prese con sé e la fece crescere in famiglia.»

L'ospite ascoltava con curiosità.

«C'è un vecchio malato. È fratello di don Simone?»

«Oh, no» protestò il servo. «È un parente. È un uomo che è stato alla guerra ed ha tanti denari. Ma *avaro*! Vedi, muore così, coi pugni stretti. Sta qui da due anni, ed ha fatto *testamento* in favore di Rosa, la figlia di don Paulu.»

«Don Paulu è figlio di don Simone?»

«No, è suo nipote: è figlio di don Priamu, che è morto.»

«I tuoi padroni sono molto ricchi, vero?»

«Sì« mentì il servo, «sono ancora ricchi; ma prima lo erano molto di più.»

Ma in quel momento rientrò Annesa, e il giovane cambiò discorso.

Si sentì un passo di cavallo nella stradetta deserta: Annesa si fermò, ascoltando, poi disse, rivolta al servo:

«Gantine, è don Paulu!» e attraversò di corsa la cucina.

Poco dopo entrò in cucina un uomo ancora giovane, alto e *svelto,* tutto vestito di nero. Gantine saltò in piedi.

Paulu salutò l'ospite col capo. «Lascia respirare un momento il cavallo« disse a Gantine. «Lo porti poi da ziu Castigu. E domani mattina all'alba conducilo al *pascolo*.» Cominciò a levarsi gli speroni.

L'ospite povero lo guardava con curiosità: e gli pareva che servo e padrone si assomigliassero: lo stesso colore del viso, gli occhi lunghi e dolci, la stessa bocca; Paulu, però, era più alto del servo, e aveva un'aria triste e preoccupata, mentre Gantine sembrava allegro e senza pensie-

---

avaro, a cui non piace spendere soldi
testamento, ultima volontà
svelto, sottile di figura; veloce nei movimenti
pascolo, terreno coperto di erba per le bestie

ri. E la bocca del giovane era rossa e sorridente, mentre le labbra di Paulu erano pallide, quasi grigie.

'Sì' pensava il *venditore* di briglie, 'adesso ricordo: Pasquale Sole mi diceva un giorno che i Decherchi avevano preso in casa, come servo, il *figlio illegittimo* d'uno di essi. Don Paulu e Gantine devono essere fratelli . . .'

Paulu andò nella camera vicina, dove l'ospite ricco lo accolse con gioia. Paulu gli strinse la mano, e parve contento di rivedere il suo antico compagno di avventure; ma donna Rachele e i nonni guardarono il *vedovo* e si accorsero subito che egli non recava buone notizie.

Domande

1. In quale ambiente vive la famiglia Decherchi?

2. Qual è la sua posizione sociale?

3. Qual è l'atteggiamento della famiglia di fronte ai problemi economici?

4. Qual è la posizione di Annesa nella famiglia?

5. Chi è ziu Zua?

---

venditore, chi vende
figlio illegittimo, figlio nato da genitori non sposati
vedovo, marito di cui è morta la moglie

2

Dopo la cena Gantine invitò l'ospite povero ad uscire con lui. Anche Paulu uscì col suo amico; donna Rachele e la bimba andarono a letto, i due nonni chiacchierarono un altro po', Annesa finì di rimettere in ordine la stanza e la cucina, e preparò il suo letto.

Lei dormiva nella stanza da pranzo, per esser pronta se il vecchio asmatico aveva bisogno di lei; quando Gantine era in paese, donna Rachele, per evitare ai due un pericoloso incontro durante la notte, pregava Paulu o ziu Cosimu di sostituire Annesa, e questa dormiva in una delle altre camere; ma quella notte l'ospite povero doveva dormire in cucina insieme con Gantine, e il pericolo era evitato.

La donna preparò i due letti per il servo e l'ospite, chiuse il portone, chiuse a chiave la porticina che dava sull'orto e la porta tra la cucina e la camera. Se Gantine tornava non poteva penetrare nella casa di là del cortile e della cucina.

I due nonni si ritirarono, ziu Zua si addormentò. Ma Annesa non andò a letto. Non aveva sonno, anzi pareva più agitata del solito.

Uscì nell'andito, aprì la porta che dava sull'orto e sedette sullo *scalino* di pietra.

La notte era calda e tranquilla, illuminata dalle stelle vivissime. In fondo all'orto cominciava il bosco dal quale si alzava la *montagna*.

Ma la pace, il silenzio, il buio della notte, i grandi alberi neri pesavano come un mistero sul cuore di Annesa e a momenti le pareva di soffocare.

---

scalino, vedi illustrazione pag. 5

Anche lei aveva capito: Paulu tornava da Nuoro senza i denari che da tre mesi cercava disperatamente. Erano rovinati.

'La casa e l'orto, la *tanca*, il cavallo, i mobili, tutto sarà messo all'*asta* . . .' pensava la donna. 'Ci cacceranno via, e la famiglia Decherchi diventerà la più *misera* del paese. Bisognerà andarsene via . . . come i mendicanti che vanno di paese in paese . . . di festa in festa . . . Ah!' Tremò ricordando il suo passato. 'Che accadrà di noi? Donna Rachele ne morrà di dolore. E lui . . . lui . . . la sua fine . . . egli lo ha già detto, la sua fine . . .'

Paulu aveva minacciato di togliersi la vita e questo pensiero fisso e l'idea che il vecchio asmatico non voleva pagare un soldo per salvare la famiglia per odio contro Paulu, davano ad Annesa una febbre d'ansia e di odio.

'Io ti farò morire di rabbia' riprese, minacciando tra sé il vecchio, 'io ti farò morire di fame e di sete. Guai a te . . . guai . . . guai!'

Qualcuno apriva la porta di strada e Annesa saltò su. Paulu entrò, la vide, chiuse la porta. Poi s'avanzò in punta di piedi ad Annesa e la strinse fra le braccia con un forte desiderio. Lei tremò tutta: con le mani abbandonate lungo i fianchi, gli occhi chiusi, si lasciò trascinare in fondo all'orto, verso il bosco. Laggiù, sotto l'albero nero la cui ombra conosceva il loro amore, lei lo abbracciò e gli *mormorò* sul viso:

«Credevo che tu non tornassi più, ti ho veduto così

---

tanca, in Sardegna, luogo chiuso all'aperto dove si tengono le bestie
asta, il vendere pubblicamente a chi offre di più
misero, molto povero
mormorare, parlare a voce bassa

buio in volto, così triste ... Invece sei venuto ... Sei qui! Mi pare di sognare. Dimmi.»

«Ho lasciato l'ospite in casa di prete V i r d i s*, dove andrò a riprenderlo.»

La baciò. Le sue labbra bruciavano, ma era il bacio di un disperato che cerca sulle labbra della donna di dimenticare i suoi problemi. Annesa capiva i sentimenti di Paulu e cominciò a piangere.

«Annesa» le disse Paulu, «finiscila. Lo sai che non mi piace veder la gente triste. Dopo tutto, se i nostri beni saranno venduti la vergogna sarà più sua che nostra. Tutti sanno che egli potrebbe salvarci. Maledetto avaro! Quando lo vedo sento il sangue montarmi alla testa. Se fossi un altro uomo lo *strangolerei*.»

«Morisse una buona volta, almeno!» disse Annesa. «Ma non muore, non muore. Ha sette anime come i gatti.»

«Sono stato a Nuoro» raccontò poi il giovane. «Ho cercato denaro in ogni angolo. Mi avevano perfino indicato un *usuraio*. Mi sono umiliato, ho pregato, io, sì, mi sono umiliato fino a pregare quest'uomo come un santo. Niente; egli mi ha chiesto la firma di Zua Decherchi.»

«Non hanno fiducia in te» disse Annesa, anche lei umiliata. «Ma se andasse don Simone ... forse ... troverebbe i denari ...»

Paulu non la lasciò continuare, disse a voce alta:

«Anna, ti perdono perché non sai quello che dici! Finché io vivrò, nessun altro della mia famiglia dovrà umiliarsi!»

---

*normalmente si dice 'il prete Virdis'
strangolare, uccidere stringendo con forza la gola
usuraio, chi presta denaro a un interesse esagerato

«Perché» disse Annesa, «perché non cerchi ancora una volta di convincere zio Zua?»

«È inutile. Egli non farebbe che offendermi ancora . . . piuttosto mi uccido!»

«Ecco che torni a parlare così! Paulu, Paulu, non vedi come mi fai paura? Non dirla più quella cosa terribile!»

«Ebbene, taci. Non parliamone più.»

«Ascoltami bene» lei continuò, sempre più agitata. «Ricordati quando i tuoi parenti volevano farti sposare Caderina Majule. Era ricca, era di buona famiglia: e tu non l'hai voluta perché non era bella e più vecchia di te. Sposala, Paulu. Ti vuole ancora. Tutto si accomoderà . . . Dimmi di sì. Ci hai pensato, vero? Non aver paura di me, Paulu. Anch'io sposerò Gantine, se tu vorrai; e ce ne andremo lontani, io e lui, e con te non ci vedremo mai più.»

«Non ho mai creduto che io fossi da vendere, Annesa! Ma forse è tempo di pensarci, adesso. Chi sa? Può darsi che segua il tuo consiglio.»

Annesa tacque, spaventata.

«Lo vedi?» egli disse. «Tu stessa lo vedi, come sei stupida a dirmi certe cose.»

«Lo faccio per il tuo bene» lei riprese piangendo. «Io sono la tua serva . . . Tu hai ragione, Paulu: sono stupida . . . sono pazza. Certe volte ho idee strane: vorrei andare per il mondo, mendicante, in cerca di fortuna per te . . . per voi . . . Non arrabbiarti, Paulu mio, cuore mio caro. Tu l'hai detto una volta, che io sono come l'*edera* che si attacca al muro e non se ne stacca più, finché non muore.»

«O finché il muro non cade» disse l'uomo. «Basta, non

---

edera, pianta sempreverde che si attacca ad alberi e a muri fino a coprirli completamente

parliamone più. Ora vado a cercare Ballore Spanu. È ricco, lo sai; forse mi presterà lui i denari. Dammi un bacio.»

Lei gli porse le labbra trementi, bagnate di lacrime, e ancora per un attimo entrambi dimenticarono tutti gli errori, le miserie che li separavano.

Poi egli uscì e lei sedette sullo scalino della porta.

Non aveva sonno, e l'idea di doversi chiudere nella camera dove dormiva il vecchio asmatico le dava paura. Sentiva ancora le labbra di Paulu, e davanti a sé non vedeva che la figura di lui, la quale le stava sempre davanti, la precedeva in tutti i suoi passi come la sua ombra.

Era una donna intelligente, aveva frequentato la scuola, e dopo aveva letto molti libri; tutti i libri che Paulu possedeva. Egli era stato il suo migliore maestro. Le aveva insegnato tutto ciò che egli sapeva o credeva di sapere. Le aveva spiegato l'*origine* dell'uomo, e infine l'aveva convinta che Dio non esiste. «Dio non esiste, no, Annesa» aveva detto. «Se Dio esistesse non permetterebbe che nel mondo accadessero certe cose. Ricchi e poveri nascono tali senza averne merito o colpa... Tu, per esempio... perché sei senza padre e senza madre, perché non sai neppure chi sei? Vedi? se io volessi sposarti non potrei ...»

Seduta sullo scalino lei si abbandonò ai ricordi. Nei tempi lontani la famiglia era ricca. Servi e serve, mendicanti, bambini poveri, ospiti dei paesi vicini, cavalli e cani riempivano di vita la casa. Annesa, allora, era servita e rispettata dalle persone di servizio come una signorina, e lei teneva le chiavi.

Un giorno accadde una disgrazia. Il padre di Paulu cadde nel cortile e non si alzò più. Le sue ultime parole furono rivolte alla moglie:

---

origine, il punto in cui ha inizio qlco.

«Rachele, ti raccomando quel fanciullo.»

E Gantine, il ragazzetto che la voce pubblica diceva figlio del morto, fu preso in casa come servo.

In quel tempo cominciarono ad andar via i servi; prima uno, poi un altro, poi tutti. Rimase soltanto Gantine.

I debiti di tre generazioni avevano rovinato la famiglia. I soldi che don Simone aveva preso dalla Banca Agricola, le *cambiali* di don Pilimu, gli interessi del duecento per cento dei debiti di Paulu consumavano in pochi anni le tancas, le *vigne* le *pecore* e i cavalli dell'intera famiglia.

Paulu si divertiva correndo di villaggio in villaggio per le feste. Tutti i mendicanti della Sardegna, che vanno appunto di festa in festa, lo conoscevano.

Nei villaggi egli prendeva denaro dagli usurai, nelle feste lo spendeva. Pareva pazzamente innamorato della vita. A giorni era buono e allegro, a giorni cattivo.

In quel tempo Paulu si sposò con una fanciulla nobile, bella, ma povera. Per un anno i due sposi vissero felici; donna Kallina era buona e rendeva buoni tutti quelli che l'avvicinavano. Il marito parve diventare un altro; ma dopo la nascita di una bambina dalla testa enorme, la

pecora —— sonaglia

---

cambiale, documento con il quale ci si obbliga a pagare un debito entro un tempo determinato
vigna, campo dove si coltiva l'uva per fare il vino

giovane sposa si ammalò e morì.

La casa divenne triste; gli ospiti si fecero rari.

Intanto Annesa s'era fidanzata con Gantine. Aveva passato i trent'anni; che aspettava? Gantine era povero, dieci anni più giovane di lei, ma buon lavoratore. Si sarebbero sposati appena i Decherchi avessero dato al giovane un po' del denaro che gli dovevano: ma il tempo passava e il denaro non si vedeva.

D'un tratto il Signore parve muoversi a pietà della famiglia. Ziu Zua, un vecchio parente, che era stato alla guerra di Crimea, dove aveva perduto una gamba, propose ai Decherchi di prenderlo in casa. Avrebbe dato un tanto al mese. Così ziu Zua venne e prese posto accanto ai due nonni, che usavano star seduti fuori della porta di strada a chiacchierare.

Ziu Zua parlava male dei 'giovani d'oggi' pensando a Paulu, e raccontava i suoi ricordi di guerra.

Un giorno cadde per terra come era caduto don Pilimu. Non morì. Lo misero a letto e non si alzò più. Egli diventò *insopportabile*, nascose sotto il *guanciale* le sue carte valori. Di notte si svegliava gridando che volevano portargliele via.

Fra le persone rimaste fedeli alla famiglia c'era ziu Castigu, il vecchio servo diventato pastore *a solus*, vale a dire che aveva acquistato un certo numero di pecore che conduceva al pascolo per conto proprio.

Un giorno invitò al suo *ovile* i suoi ex padroni. L'ovile era quasi in cima al monte di Santu Juanne. Enormi *roccie* si alzavano stranamente le une sulle altre formando co-

---

insopportabile, che non si può sopportare
guanciale, vedi illustrazione pag. 50
ovile, stalla delle pecore
roccia, vedi illustrazione pag. 26

roccia

struzioni immense. Pareva che in un tempo lontanissi-
mo, prima che fosse creato il mondo, una lotta fosse avvenuta fra queste roccie, e le une fossero riuscite a vince-
re le altre ed ora le *schiacciassero* elevandosi verso il cielo
azzurro.

Vicino all'ovile di ziu Castigu si vedeva una lunga roccia che nella fantasia popolare era diventata la tomba del
gigante. Durante la colazione gli invitati di ziu Castigu
non parlarono d'altro che delle *leggende* del luogo.

«Voglio salire lassù: chi viene?» domandò Paulu che
aveva bevuto abbastanza e sembrava allegro.

Ma gli altri erano stanchi e volevano riposarsi all'ombra degli alberi. Solo Annesa seguì il giovane vedovo e
nessuno se ne oppose. Tutti erano abituati a considerare
Paulu e Annesa come fratello e sorella.

---

schiacciare, premere una cosa in modo da cambiarne la forma o
da romperla
leggenda, storia popolare mista di fantasia e di realtà

26

Essi andarono; era di maggio, il sole del pomeriggio batteva sulle roccie. A destra del bosco sorgeva la cima sulla quale nella sua tomba di pietra riposava il gigante. Era difficile salire: bisognava saltare di roccia in roccia.

Paulu procedeva, Annesa seguiva. D'un tratto si trovò su alcune pietre che si muovevano; le parve di *perdere l'equilibrio* e diede un grido. Paulu si volse, tornò indietro, la guardò e le porse la mano.

Ai loro piedi il bosco precipitava giù, giù fino alla costa. Valli e montagne, valli e montagne si seguivano fino all'*orizzonte*.

Gli uccelli in amore volavano tra il sole e il vento, nell'aria serena.

Annesa sentì il suo sguardo *ardente* colpirla e le parve di cadere e che tutte le roccie precipitassero sotto di lei. Ma Paulu la teneva sospesa nel cerchio delle sue braccia, e aveva unite le sue alle labbra di lei, in modo che pareva non dovessero staccarsi mai più.

---

perdere l'equilibrio, non poter reggersi in piedi e cadere
orizzonte, vedi illustrazione pag. 69
ardente, che brucia

Domande

1. Come si è rovinata la famiglia?

2. Qual è il rapporto tra Annesa e Paulu?

3. In che modo Paulu cerca di risolvere i problemi economici della famiglia?

4. Quali possibilità gli propone Annesa?

5. Perché Paulu non può accettare le proposte di Annesa?

6. Qual è il rapporto tra Paulu e il vecchio asmatico?

3

Presto la mattina dopo donna Rachele andò alla messa. Le altre donne anziane, che erano in chiesa, la videro piangere e pregare tutta chiusa nel suo scialle nero.

Annesa invece andò con Rosa alla messa cantata delle nove col suo bel *costume.*

Un cortile vastissimo circondava la chiesetta, appoggiate alla quale sorgevano alcune stanze e una tettoia, dove si riunivano le persone che organizzavano la festa.

Uomini alti e forti, vestiti di rosso e di nero, paesani di altri villaggi, pastori e contadini, si univano intorno ai banchi dei *liquoristi,* sotto le tettoie appoggiate alle roccie intorno alla chiesa. Era la solita folla delle feste sarde: uomini allegri che pensavano a bere e donne in costume che andavano in chiesa per pregare e farsi vedere.

«Babbo è là» gridò Rosa «davanti alla chiesa, e parla con prete Virdis.»

Annesa andava raramente in chiesa e ogni volta che incontrava il prete evitava il suo sguardo. Passò dritta, trascinandosi dietro la bimba.

Dopo la messa Paulu l'attese fuori della chiesa e prese Rosa per mano.

«Prete Virdis è arrabbiato con te» disse. «Ti ho scusata con lui, dicendogli che avevi molto da fare. Egli non è cattivo, tutt'altro. Mi ha promesso di parlare con ziu Zua. Verrà oggi da noi; sii gentile con lui, ti prego. Se poi non si riesce a nulla con ziu Zua, fra giorni io vado al paese di Ballore Spanu. Mi ha promesso di presentarmi ad una sua parente, che forse mi presterà dei soldi.»

---

costume, abito proprio di un luogo, di un'epoca e di un ambiente
liquorista, chi vende *liquori,* cioè vini molto forti e dolci

D'un tratto Annesa si sentì presa per la vita da un br' c-cio d'uomo, e si vide accanto a sé il piccolo ziu Castigu, vestito a nuovo, pulito, allegro come un fanciullo.

«Come» egli disse, «ve ne andate così, senza far visita ai *promotori* della festa? Io sono fra questi. Andiamo Rosa, rosellina mia, vuoi che ziu Castigu ti prenda in braccio?»

«Io devo andar a casa» protestò Annesa. «Donna Rachele mi aspetta.»

«Tu verrai, pili brunda*: prenderò sulle spalle anche te se vuoi! Andiamo.»

Entrarono nella cucina grande. «Buona festa, quest'anno?» domandò Paulu, guardandosi attorno.

«Non c'è male. Siamo cinquanta promotori e altri cento pastori hanno partecipato alla festa, portando ognuno una pecora e una misura di grano.»

C'era una quantità enorme di carne sulle *panche* disposte lungo le pareti. Si cuocevano intere pecore. Alcuni uomini, seduti per terra, rossi in viso e con le lacrime agli occhi per il fumo, facevano girare lentamente su grossi *spiedi* di legno intere *coscie* di *montone*.

Ziu Castigu gli fece vedere le altre stanze. In una dovevano pranzare gli uomini, in un'altra le donne e i fanciulli: in una terza stavano i dolci, in un'altra il pane.

«Quanto pane! Ce n'è per cento anni» disse Rosa.

«Se tu ritornerai fra due ore, rosellina mia, vedrai che hanno mangiato tutto. È festa: bisogna mangiare» disse ziu Castigu. «Mangiamo noi e diamo da mangiare agli altri. Ecco!»

---

promotori, qui coloro che organizzano la festa
*capelli biondi
montone, maschio della pecora

spiedo

panca

coscia

Verso le tre del pomeriggio arrivò prete Virdis. Annesa gli aprì la porta e gli sorrise come non gli aveva mai sorriso: «Venga, venga avanti, prete Virdis mio!»

Corse ad aprire l'uscio della camera del vecchio.

«E gli altri? Come va Zua Deché?»

«Don Simone è uscito, ziu Cosimu e donna Rachele sono nell'orto. Adesso vado a chiamarli: s'accomodi.»

Ella s'allontanò, e il prete s'accorse che il viso di ziu Zua s'era fatto buio, più *diffidente* e brutto del solito.

«Perché questa visita a quest'ora? Avete fatto buona festa, don Virdis?» domandò il vecchio. «Chi credeva, due o tre anni fa, che io non avrei più partecipato alla festa? Son vivo e son morto. Tutto per me è finito.»

«No» disse una voce grave e dolce che ad Annesa, che s'era appoggiata all'uscio, non parve più la voce del prete

---

diffidente, che non ha fiducia

Virdis. «Niente è finito, Zua Deché. Tutto invece deve cominciare. Tutta la nostra vita e le sue passioni ed i suoi errori non sono che colpi di vento. Oggi siamo vivi, domani saremo morti; e solo allora potremo dire: tutto incomincia e nulla finirà.»

«Sia fatta la volontà di Dio» disse il vecchio. «Che egli mi prenda o mi lasci, per me ormai è la stessa cosa. Gli uomini come me, anzi, farebbero bene a morire presto. Tutti mi odiano perché ho con me pochi soldi. L'aria stessa mi è nemica e non si lascia respirare da me. E io non ho mai peccato, non ho mai rubato, non ho mai ucciso. Ma Dio è *ingiusto*.»

«Anche questa!» gridò il prete arrabbiato. «È molto comodo accusare il Signore del male che noi stessi ci facciamo. Ah, è Dio che vi dice di non aiutare il prossimo, di non amarlo, di fare agli altri il male che non volete sia fatto a voi? Sì, è proprio Dio che vi consiglia di essere avaro, e che vi dice: nascondili bene i tuoi soldi, Zua, nascondili e amali sopra ogni cosa, anche più di te stesso. E non dare aiuto a chi ti porge disperatamente le mani.»

«Ah, abbiamo capito» disse allora il vecchio alzandosi. «Abbiamo capito.»

«Voi non avete capito niente, invece!»

«Ho capito, ho capito» ripeté l'altro, che volle cambiar discorso. «Tutto il male ce lo siamo fatto noi. Anche la gamba me la son rotta io! Alla guerra» gridava il vecchio, «alla guerra ci sono andato, perché mi ha mandato il re, perché alla guerra ci vanno tutti gli uomini forti, gli uomini di coscienza . . .»

'È finita!' pensò Annesa dietro la porta. Prete Virdis era andato troppo oltre, e aveva colpito troppo sul vivo il

---

ingiusto, che non ha senso della giustizia

suo vecchio amico. Lei stringeva i denti, arrabbiata più contro il prete che contro ziu Zua.

Passata la festa, la vita in casa Decherchi riprese il solito corso triste. I due nonni andavano in chiesa, poi si trattenevano a lungo coi loro amici, e di sera sedevano davanti alla porta di casa. Parlavano male del prossimo e raramente si occupavano dei loro affari. Eppure questi affari andavano malissimo. Ancora due settimane e tutto sarebbe stato venduto all'asta.

Paulu aveva anche lui i suoi amici, i suoi affari, e quando stava in paese ritornava a casa solo a mezzogiorno e alla sera. Sperava ancora. Sarebbe andato al paese di Ballore Spanu dove c'era una vecchia ricca che senza dubbio gli avrebbe prestato i soldi.

«Non so perché» disse ad Annesa, la sera prima di partire «ma sono certo che troverò. Non tornerò a casa senza i denari; piuttosto mi uccido . . .»

Egli partì. Anche Gantine era partito per la *foresta* di Lula per la *lavorazione* di *scorza* dove sarebbe rimasto fino a quando dovevano seminare.

Il vecchio asmatico volle confessarsi. Prete Virdis rimase lungamente con lui, e quando uscì dalla camera e sedette vicino alla porta insieme con i due nonni, Annesa notò che era allegro.

scorza

---

foresta, bosco
lavorazione, atto e modo di lavorare una materia

«Deve aver convinto ziu Zua ad aiutarci» disse a donna Rachele.

Ma per quanto Annesa ascoltasse, non sentì il prete dare ai vecchi la buona notizia. I tre vecchi chiacchieravano, mentre nell'andito Annesa e donna Rachele sognavano un momento di pace e di speranza, la seconda pregando un Dio che non si commuoveva mai.

Domande

1. Come si svolge la festa nel paese di Barunei?

2. In che modo il prete Virdis cerca di convincere ziu Zua ad aiutare la famiglia?

3. Dove spera ancora di trovare i soldi Paulu?

4

Paulu era partito la mattina all'alba. Da molti anni egli non faceva altro che viaggiare così, in cerca di denari, come il cavaliere antico in cerca di tesori.

Sperava; e quasi era certo di trovar finalmente un po' di fortuna. 'La sorella del *parroco* mi darà i soldi e pretenderà un interesse modesto. Paghiamo la Banca, e poi, col tempo, ziu Zua morrà e aggiusteremo i nostri affari.' Da molto tempo non era stato così allegro e felice: il ricordo di Annesa, la speranza di trovare il denaro, la bellezza del mattino lo riempivano di gioia.

E va e va. Scese e risalì tutta la valle, arrivò in un villaggio, si fermò in una *locanda* per dar da mangiare al cavallo. Era sua intenzione ripartire subito; ma una donna lo riconobbe e corse subito da Pietro Corbu, un ricco *proprietario* del luogo, per avvertirlo che don Paulu Decherchi era sceso da Zana, la vedova del brigadiere. Don Peu corse allora subito dalla vedova per far venire Paulu a casa sua.

Paulu aveva già domandato denari in prestito a don Peu, che naturalmente glieli aveva negati. Tuttavia *finse* di veder don Peu con piacere, ma non volle seguirlo.

«Ho fretta» disse. «Mi fermo solo un momento. Vado alla festa di Sant'Isidoro.»

«La festa è dopodomani. Tu resterai qui tutta la giornata di oggi, parola di Peu Corbu.»

E Paulu rimase. Bevettero molto entrambi, e Paulu

---

parroco, prete
locanda, albergo modesto
proprietario, qui padrone di terra
fingere, far credere qlco. che non è vero

continuò a mostrarsi allegro, e cominciò a raccontare delle bugie: disse che i suoi affari andavano benissimo e che il vecchio asmatico gli aveva dato le sue carte valori perché se ne servisse a suo piacere.

«Avete fatto molto bene a prendervi quell'uomo in casa» disse don Peu. «Dopo tutto, però, anche voi gli volete bene: se capitava in altra famiglia lo ammazzavano. Zana, ocri maduri*, portaci un'altra bottiglia. Zana, occhi di stella» disse don Peu, mentre la vedova versava da bere, «questo nobile qui, vedi, questo cavaliere è vedovo e tu sei vedova. Non potreste consolarvi a vicenda?»

«Don Peu matto» rispose la vedova seria, «se non fosse per rispetto all'ospite le risponderei male.»

La vedova, tuttavia, guardò il vedovo: egli la guardava già. Entrambi avevano bellissimi occhi, e gli occhi belli son fatti per guardarsi anche se hanno già versato molte lacrime sulla tomba di persone care.

«È ancora una bella donnetta» disse don Peu quando era uscita Zana, «ed ha anche dei soldi, dicono. E dicono . . . io non so nulla, parola di don Peu, ma dicono . . .»

«Che dicono dunque?»

«Ah, ti preme sapere cosa dicono?»

Don Peu, allora, a bassa voce, raccontò *salaci storielle* sul conto di Zana. Paulu rideva, dimenticandosi che fra otto giorni la Banca Agricola avrebbe messo all'asta la vecchia casa e l'ultima tanca della famiglia Decherchi.

Il giorno dopo all'alba ripartì per il paese di Ballore. Egli non si sentiva allegro come il giorno prima. Aveva la testa pesante e la gola secca. In viaggio ricordava la figura

---

*dagli occhi grandi
salaci storielle, storie volgari e poco pulite

alta e bella della vedova, le storielle dell'amico. Ricordava i beati tempi di quando era giovane. E pensava alla piccola Annesa dalla quale sentiva di non potersi liberare mai più.

Così arrivò al villaggio. Grandi nuvole *rosee* coprivano il sole, e una luce dolce si stendeva sopra la campagna, di là della quale sorgeva un monte che pareva di marmo rosa. Ma all'avvicinarsi del paesetto, tutto diventava triste e sporco; la strada era coperta di polvere, anche l'aria era diventata difficile a respirare.

Nel passare davanti ad una casa antica, meno povera delle altre, egli si fermò un momento. In quella casa abitava la sorella del parroco. Ma nessuno apparve alla finestra ed egli andò avanti. Il suo amico abitava in fondo alla piccola strada.

Ballore Spanu non era a casa, ma la sua famiglia, composta della madre e di sette sorelle *nubili*, la più giovane delle quali aveva passato i trent'anni, accolse l'ospite con vivi segni di simpatia.

«Ballore è in campagna» disse la madre, una vecchia piccola e grossa, «ma tornerà verso sera. E i suoi parenti come stanno, don Paulu?»

Le sette sorelle gli stavano intorno e gli servivano il caffè. Paulu ascoltava chiacchierare la vecchia, la quale gli raccontò che litigava da sette anni con un vicino, per un diritto di passaggio in una tanca.

Verso sera don Paulu uscì. Ma le storie della madre e gli sguardi delle sette vecchie sorelle lo avevano reso mortalmente triste. Andò in giro per il paese, domandandosi se doveva far visita al parroco che non conosceva

---

roseo, di color rosa
nubile, non sposata (di donna)

ancora. Il paesetto era misero e sporco. 'Dove sono venuto a cercar fortuna!' pensò. 'È mai possibile che trovi denari qui, proprio qui?'

Molta gente andava alla chiesa. Paulu si fermò a guardare le donne. Si ricordò di Zana e un'idea gli saltò in mente che però respinse subito. Entrò in chiesa. No, egli poteva umiliarsi a tutto, anche ai più bassi usurai. Poteva lasciar mettere all'asta la casa, ma arrivare al punto di chiedere denari ad una *donna equivoca* mai, mai.

'Meglio morire' pensò piegando la testa. 'Se mi uccido, ziu Zua salverà la mia famiglia.' Pensò ad Annesa, alla *disperazione* di lei, e decise di avvertirla del suo proposito. 'Così si preparerà e dopo non si tradirà e potrà sposare Gantine. No, non voglio rovinarla, povera Annesa, anima mia cara.' Lacrime sincere gli corsero lungo il viso; per nascondere il suo dolore si mise in ginocchio e con una mano coprì il viso.

Ballore che era tornato dalla tanca stanco e di cattivo umore, s'accorse che era profondamente triste. 'Dev'essere in terribili condizioni' pensò. 'Non crede in Dio e ha finto di pregare per far impressione alla sorella del parroco.' E si domandò se non aveva fatto male ad invitarlo. 'Egli non possiede nulla. Come può ritornare i denari. Bella figura farò io col parroco e con sua sorella!'

Rimasti soli, nella camera da letto, dove era stata preparata anche la tavola per l'ospite, i due amici si guardarono in viso. Ballore sentiva tutta la distanza che passava fra lui, un forte lavoratore, pieno di energia, pronto a tutto e il suo debole amico dal viso pallido e triste. E guardava il suo ospite, e ne sentiva pietà; ma che poteva farci?

---

donna equivoca, donna considerata poco seria
diperazione, stato e sentimento di chi non ha più speranza

«Puoi fare, se non altro, un buon matrimonio» disse Ballore. «Sei giovane, sei sano.»

Paulu credette che Ballore lo dicesse forse per proporgli una delle sue sorelle, e provò un senso di freddo.

«Ballore» disse, pensando ad Annesa, «siamo uomini entrambi, e tu mi capirai. Ho una relazione segreta con una donna. Forse non sposerò mai questa donna, ma non l'abbandonerò mai. Le ho voluto sempre bene ma il destino ci ha separato. Io presi moglie, poi quando rimasi vedovo rividi la donna. Il desiderio mi vinse. E lei non aspettava che un segno per darsi interamente a me come l'edera alla pianta. Io non la posso lasciare.»

«Ah, Paulu, Paulu!» disse Ballore. «Ecco il tuo guaio: sei stato sempre un debole.»

«E tu credi che io non lo sappia? So, so, purtroppo» continuò Paulu. «Ho sbagliato strada, Ballore, e nessuno più potrebbe mostrarmi la mia via. Se avessi continuato a studiare sarei diventato qualche cosa. Tutto in me si è fermato nel meglio del suo sviluppo.»

Ballore non capiva quello che voleva dire l'amico; capiva una cosa sola: che l'amico non si sarebbe mai più alzato dalla sua miseria morale e materiale, e si pentì di averlo invitato.

All'alba Paulu si svegliò e si accorse che Ballore usciva, ma quando si alzò, l'amico era già rientrato.

«Che dormire ho fatto!» disse Ballore. «Mi sveglio appena adesso.»

Uscirono, andarono in chiesa. La festa era molto misera.

«Quest'inverno qualcuno morrà di fame: la miseria è profonda. Ah, i tempi sono cambiati, Paulu mio!»

Andarono dal parroco, ma né lui né la vecchia avevano denari a disposizione. Paulu uscì da quella casa con la disperazione nell'anima. 'Ballore questa mattina deve aver consigliato la vecchia a negarmi il prestito' pensò.

Ripartì. Non sapeva dove dirigersi, ma non voleva assolutamente tornare in paese senza i denari.

Cammina, cammina. Il cielo era triste, pieno di nuvole. La terra, gli alberi, le roccie, aspettavano in silenzio la pioggia promessa. Non si muoveva una foglia; non s'udiva nel *paesaggio* giallo una voce umana. Dove andare, se tutto il mondo era per Paulu simile a quel luogo deserto? Era finita: finita davvero.

D'un tratto Paulu si sentì chiamare da una voce che gli parve di riconoscere. Il cavallo si fermò. Un uomo alto e grosso e un ragazzetto s'avanzavano. Paulu riconobbe Santus, il pastore che la voce pubblica accusava di aver ucciso il figlio: il ragazzo era il figlio.

Santus prese il ragazzo per le spalle e lo scosse.

«Ho fatto due volte il giro della Sardegna a piedi. Eccolo qui l'uccello del diavolo: ora lo conduco dal brigadiere e dico a tutti: vedete se un padre può ammazzare il figlio! Ora me ne lavo le mani, don Paulu!»

«Tornate in paese?» domandò Paulu, senza interessarsi molto ai casi di Santus e del ragazzo.

«Subito; le occorre qualche cosa?»

«Allora» disse lentamente Paulu «vi darò un bigliettino che consegnerete ad Annesa: ma a lei solamente, avete capito?»

«Va bene, don Paulu.»

Allora Paulu scrisse su un pezzo di carta: 'Viaggio inutile. Nessuna speranza. Non so quando ritornerò. Ricordati ciò che ti dissi prima di partire. Non spaventarti.'

---

paesaggio, campagna con monti, fiumi, alberi ecc. aspetto del paese

Santus non sapeva leggere. Paulu gli consegnò il biglietto appena piegato e l'altro lo prese e promise di consegnarlo solo ad Annesa: e proseguì il viaggio, spingendo avanti il fanciullo taciturno, e fermandosi con tutti che incontrava per raccontar loro la sua storia. E non pensava che portava con sé l'inizio di fatti ben più gravi dei suoi.

Paulu andò di nuovo dalla vedova del brigadiere. Nessun piano lo guidava, ma dopo aver scritto e consegnato il biglietto per Annesa s'era sentito ancora più triste.

'Ho ancora cinque giorni di tempo' pensava. Dove andare, però. Ricordò gli usurai di Nuoro, e fra altri una donna che anni prima gli aveva prestato mille lire al trecento per cento.

'Che differenza c'è fra un'usuraia simile e una vedova come Zana? Nessuna.»

Zana sembrava allegra di rivederlo.

«Sono sola in casa» disse, dopo aver legato il cavallo. «La serva è andata a lavare. Non ho potuto preparare niente: bisogna quindi che lei abbia pazienza.»

Paulu entrò e sedette davanti alla tavola. Mangiò e bevette molto: e più beveva più gli pareva che molti problemi si risolvessero.

Domande

1. In che modo il paese di Ballore Spanu fa cambiare lo stato d'animo di Paulu?

2. Che impressione riceve l'amico di Paulu?

3. Perché Paulu decide di scrivere una lettera d'addio ad Annesa?

4. Perché Paulu si rivolge finalmente alla vedova del brigadiere?

5

Tutti gli anni donna Rachele quel giorno serviva 'il pranzo dei poveri'. Era un obbligo che aveva come padrona di una certa tanca. Da anni ed anni, forse anzi da secoli, una *dama* Decherchi serviva con le sue mani 'sei poveri modesti'.

Paulu ogni anno protestava, e il giorno del 'pranzo dei poveri' non tornava a casa per non arrabbiarsi nel veder la madre umiliarsi a servire i sei poveri. Ma donna Rachele aspettava quasi con ansia quel giorno per lei benedetto. Non aveva mai voluto vendere quella tanca, oramai rimasta l'ultima, appunto perché aveva cara la cerimonia.

«Gesù nostro Signore lavava i piedi ai poveri» disse. «Anch'io vorrei fare altrettanto coi poveri seduti alla mia tavola.»

Annesa era *inquieta* e nervosa, cucinava e pensava a Paulu. Dove era? Perché non tornava? Le parole di lui le ritornavano in mente: 'È l'ultimo viaggio questo: o trovo o non torno!'.

Donna Rachele, che entrava ed usciva dalla camera alla cucina e da questa al cortile dove era stato acceso il fuoco per cuocere, notava in lei qualche cosa di strano.

«A momenti sei pallida, a momenti il tuo viso è acceso» le disse, toccandole con le dita la fronte.

«Ma niente! È il fuoco!» rispose Annesa.

Già due invitati, due vecchi fratelli, Chircu e Predu Pira, due vecchi disgraziati, di buona famiglia, sedevano

---

dama, donna di nobile condizione
inquieto, agitato

davanti al letto dell'asmatico. Ziu Zua parlava male di tutti, perfino di Rosa.

«Cosimu Damianu è andato in campagna, oggi: vuol lavorare! Vuol lavorare adesso, dopo che è vissuto tutta la vita alle spalle degli altri. E don Simone è uscito, aveva bisogno di camminare per farsi venire l'appetito, il vecchio nobile. Va' pure, caro mio; l'anno prossimo sarai tu al pranzo dei poveri, invitato dal nuovo padrone della tua casa.»

I due vecchi sorrisero tristemente: ma Predu al quale l'asmatico non piaceva, per fargli dispetto disse:

«Paulu porterà oggi i denari: dicono sia andato a Nuoro, dove . . .»

«Taci» interruppe ziu Zua. «Corni porterà, quel giramondo; chi gli fa più credito? Tutti ridono di lui. Credono che sia in viaggio per affari suoi» continuò, «per . . . basta, invece . . . ah, ah . . .»

La rabbia lo soffocava.

«Invece è in giro per divertirsi, lo sappiamo» disse Chircu Pira, per calmare l'amico. «Lo sappiamo.»

«Sì, vecchi miei. È andato alla festa di Sant'Isidoro. Ah, non pensa che fra cinque giorni si farà l'asta della casa e della tanca: non ci pensa, come del resto nessuno ci pensa, qui. Oh, tutti sono allegri: sperano forse che io muoia, entro cinque giorni: ma la mia pelle è dura. Non morrò, e se morrò, c'è qualcuno che verrà . . . verrà a vedere . . . ah! Ieri notte credevo veramente di soffocare. E Annesa mi guardava come se avesse voluto . . . Ah, ecco che vengono . . .»

Entrò don Simone con Rosa. Il vecchio nobile sembrava più allegro del solito e scherzava con la bambina. Poi giunsero gli altri invitati.

Mentre Annesa serviva il vecchio asmatico, donna Rachele uscì nel cortile per togliere lo spiedo dal fuoco e don Simone le andò dietro e le disse rapidamente:

«Prete Virdis mi ha detto una cosa, ma in gran segreto. Egli ha convinto Zua a comprar la casa e la tanca; così tutto si accomoderà. Ma per amor di Dio, non parlarne con nessuno, nemmeno con Annesa.» Poi entrò.

La giornata diventava sempre più buia e triste, da lontano si sentiva il *tuono*. Il cielo era grigio e il bosco della montagna si confondeva con le nuvole nere sempre più basse.

Finito il pranzo, i poveri se ne andarono. Annesa andò alla fonte con la brocca sul capo. Soffriva di un terribile mal di testa; le pareva che la brocca fosse una roccia. Il *rombo* del tuono sembrava farle scoppiare la testa. E Paulu non veniva. Stava per ritornare quando vide Santus il pastore e altri tre uomini e un fanciullo che si avvicinavano.

Nel silenzio della strada si udiva la voce alta e allegra di Santus.

«Per Dio, lo conduco subito dal brigadiere: poi se vuol scappare scappi pure e vada al diavolo. Annesa, ohé, Annesa! Ecco qui l'uccellino scappato. Guardalo bene: anche tu puoi dire che è lui?»

Il fanciullo taceva. Annesa guardava.

«Abbiamo incontrato don Paulu» le fece sapere il pastore quando le fu vicino; «stanotte non tornerà in paese: non lo aspettate.»

Gli altri precedevano di qualche passo.

«Dove hai veduto don Paulu?» ella domandò a bassa voce.

---

tuono, suono, che accompagna il *lampo,* vedi pag. 50
rombo, forte rumore

«Vicino a Magadus: mi diede un bigliettino per te« e le mise in mano il biglietto.

Annesa strinse nel pugno il pezzetto di carta. Che avveniva? Paulu non le aveva mai scritto. Perché le scriveva adesso? La notizia doveva essere triste.

Un *lampo* improvviso, un tuono fortissimo e la pioggia che incominciava a cadere, fecero correre la gente di qua e di là: lei si trovò sola e s'avviò a casa correndo.

Donna Rachele era andata con Rosa e i nonni alla messa. Annesa mise per terra la brocca; poi uscì nel cortile e lesse la triste notizia. 'Egli non ha trovato. Si ucciderà' pensò. 'Questa volta è davvero. Fra due o tre giorni, quando non ci sarà più speranza, egli morrà.'

Un lampo terribile e il rombo di un tuono riempirono il cortile di luce e d'orrore. Rientrò in cucina e appoggiò la fronte alla porta chiusa, pensando che se Paulu a quell'ora viaggiava, doveva bagnarsi tutto. Non poteva gridare, non poteva piangere, le si stringeva la gola. Le pareva che anche la natura, oramai, si unisse alla sorte, agli uomini; che un esercito di forze nemiche si divertisse a *perseguitare* un uomo debole e infelice. Nessuno lo aiutava, nessuno lo difendeva. 'Soltanto la serva pensa a te, Paulu Decherchi' *gemeva*.

«Annesa, figlia del diavolo!» gridò ziu Zua, che la chiamava da un quarto d'ora. «Annesa, maledetta, accendi il lume.»

Lei entrò nella camera, ma non accese il lume. Di tanto in tanto un lampo improvviso illuminava la camera, e allora pareva che la figura del vecchio saltasse fuori dal-

---

lampo, vedi illustrazione pag. 50
perseguitare, cercare di colpire qlcu. con una serie di azioni a suo danno, per odio o altro
gemere, lamentarsi a bassa voce

l'ombra, e poi precipitasse di nuovo nell'ombra e nel mistero. Annesa lo guardò con occhi *allucinati*: le pareva che egli fosse già morto, ma urlasse ancora. E da quel momento fu presa da una specie di *ossessione*: avvicinarsi al vecchio e strangolarlo, farlo tacere finalmente: farlo precipitare per sempre nell'ombra dalla quale usciva ogni tanto urlando.

Il vecchio che credeva che anche lei avesse paura del *temporale* pregò: «Ma accendilo questo lume. Vedi che anche tu hai paura. Vedi come mi hanno lasciato solo. Chissà dove saranno! Si bagneranno tutti.»

Lei ritornò in cucina e rientrò col lume.

D'un tratto il cielo diventò sereno; le ultime nuvole si aprirono e scesero giù dietro la montagna. La luna grande e triste apparve sopra il bosco nel silenzio improvviso della notte.

Donna Rachele, la bimba, i vecchi nonni, che erano rimasti in chiesa finché non aveva cessato di piovere, rientrarono e andarono a letto subito.

Annesa rimase sola in cucina, dove aveva acceso il fuoco. Le pareva che fosse d'inverno, tremava per il freddo. Le pareva che avesse ancora qualche cosa da fare. Che cosa? Non sapeva, non ricordava.

Rilesse il biglietto di Paulu: poi lo bruciò. Per lungo tempo rimase seduta di fronte al fuoco, con il viso fra le mani, fissando il foglietto che si trasformava in *cenere*. Qualche cosa entro di lei si consumava così. La coscienza e la ragione l'abbandonavano: un'ombra scendeva intorno a lei, la separava dalla realtà.

---

allucinato, che vede ciò che non è
ossessione, pensiero fisso
temporale, cattivo tempo con tuoni, lampi e pioggia
cenere, la polvere grigiache resta quando è bruciato qlco.

47

'Io non ho padre, né madre, né parenti' pensava nel suo *delirio*. Nessuno piangerà per me. Io non ho che l u i, come lui non ha che me.'

Il vecchio dormiva. S'avvicinò al letto e lo guardò. Un momento, un po' di coraggio, un piccolo sforzo, una mano sulla bocca, e tutto era finito.

Ma la forza e il coraggio le mancarono: provò un senso di freddo. No, non poteva.

Uscì nel cortile. Allora si accorse con meraviglia che il temporale era cessato. Ma il silenzio, questa morte di tutte le cose, invece di calmare Annesa, la agitarono ancora e l'ossessione la riprese. Che cosa doveva succedere? Lei lo ricordava benissimo: sapeva che doveva arrivare la Morte e che lei doveva aiutarla come la serva aiuta la padrona.

Andò al letto senza spogliarsi, non per essere pronta ad aiutare il vecchio, ma per aiutare la morte se l'*accesso* fosse ritornato. Gli accessi d'asma, che da qualche notte tormentavano il vecchio potevano da un momento all'altro ricominciare.

'Basta che io non gli dia il *calmante*' pensava. 'Egli deve morire stanotte; altrimenti muore l'altro. Bisogna che Paulu domani sappia che il vecchio è morto. O l'uno o l'altro.'

Sentì un passo di cavallo nella stradetta! Si levò la *coperta* dal viso e ascoltò. Signore, Signore, era mai possibile? Il passo s'avvicinava forte e tranquillo, sembrava il passo del cavallo di Paulu.

Si alzò trascinandosi dietro la coperta e saltò contro

delirio, stato fuori di sé, qui a causa della febbre alta
accesso, l'improvviso mostrarsi di una malattia
calmante, qui sostanza per calmare l'accesso d'asma
coperta, vedi illustrazione pag. 50

l'uscio come una pazza; ma il cavallo passò oltre. Il vecchio si svegliò, vide la coperta buttata per terra in mezzo alla camera, vide Annesa vestita e si spaventò:

«Annesa?» chiamò «Annesa? Anna, che c'è?»

«Credevo fosse don Paulu» disse con voce debole. «Nella speranza che tornasse non mi sono spogliata.»

«Va a letto» le disse ziu Zua con la sua voce ansante. «Domani sarete tutti servi, sì, servi! Anche il tuo bel giramondo, se vorrà vivere, dovrà mettersi a lavorare. Faresti meglio a spogliarti e andare a letto. Il tuo giramondo non tornerà. È inutile che lo aspetti, sai, bella; egli a quest'ora non pensa a te.»

«Cosa? Cosa? Cosa dite?»

«Nulla. Dicevo solo che tutto mi potete portar via, ma gli occhi no, ma le orecchie no. Va a letto, ti dico, e non prendertela con me se il giramondo non torna. Ti ho detto che non pensa a te, stanotte.»

Era troppo. Perdette la ragione. Si precipitò contro il vecchio, gli si gettò addosso, gli mise le mani intorno al collo, ma il vecchio ebbe la forza di strapparsi le mani dal collo e cominciò a gridare:

«Aiuto! Aiuto!»

«Se non state zitto vi strangolo davvero. Provate un po' a gridare ancora!» gli disse Annesa.

Egli ebbe paura e non osò più gridare. Si portò le mani al collo. Lei capiva che aveva paura di lei; ed anche lei, adesso, aveva paura di lui. 'Domani mi *denuncierà*' pensava, fissandolo con occhi non più umani. 'Sono perduta. Si farà portar via di qui, e tutto sarà finito. Ch'io sia perduta non importa' pensò poi con disperazione, 'ma gli altri no, gli altri no. O lui, o gli altri.'

---

denunciare, riferire un fatto alle autorità

Ma lei non poteva, non poteva. Si alzò per prendere la coperta che aveva lasciato in mezzo alla camera.

«Aiuto! Aiuto!» urlò il vecchio.

Allora lei perdette completamente la ragione. Gli saltò sopra; gli gettò la coperta sul capo, lo premette con tutto il peso della sua persona.

Le sue membra s'agitavano disperatamente sotto la coperta. Poi Annesa non sentì che qualche leggero movimento, più nulla.

Quanto tempo era passato? Due o tre minuti? Si meravigliò della poca resistenza della vittima. Altri minuti passavano. Qualcuno poteva aver sentito gridare la vittima: da un momento all'altro qualcuno poteva apparire sull'uscio e domandarle che cosa accadeva.

Che fare? Per un momento pensò che doveva gridare,

chieder aiuto, dire che il vecchio aveva un accesso d'asma.

«Dio mio, Dio mio» mormorò. Andò a sedersi. Il cuore non le batteva più. Si sentiva stanca, così che le pareva di non poter più alzarsi. Avrebbe voluto dormire. Tutto era finito oramai, e non restava che dormire . . .

'Dirò che è morto mentre dormivo. Perché devo svegliarli? C'è tempo . . . c'è tempo . . .'

Chiuse gli occhi, ma subito sentì il passo nel silenzio della notte chiara, e le parve di riconoscere il passo di Paulu. Ma doveva ritornare a cavallo?

Il passo s'avvicinava. Saltò in piedi. Capì ciò che aveva fatto, ed ebbe paura di se stessa. 'Ho ucciso un uomo, io, Annesa, ho ucciso: Dio mio, che ho fatto?'

A misura che il passo s'avvicinava lei sentiva crescere la sua paura: paura che il vecchio non fosse ancora morto, paura del passo che s'avvicinava, paura di muoversi, paura di star lì ferma.

Ed ecco, il passo cessò; qualcuno batté alla porta. Chi picchiava era Paulu.

Domande

1. Perché e in che modo ziu Zua è particolarmente dispettoso la sera del 'pranzo dei poveri'?

2. Come giudica i tentativi di Paulu di trovare i denari?

3. In quale stato si trova Annesa?

4. Come riceve Annesa il biglietto di Paulu?

5. Quali pensieri la tormentano durante il temporale?

6. Perché il vecchio si sveglia durante la notte?

7. In che modo Annesa viene spinta all'atto disperato?

6

Annesa uscì nell'andito, ma non aprì subito.

«Annesa, apri, sono io» disse Paulu.

Lei rientrò nella camera, s'avvicinò al letto, alzò la coperta. Il vecchio con la testa abbandonata sul guanciale, stringeva i pugni, e teneva gli occhi aperti. Il suo viso era rosso quasi *livido*. Lei non dimenticò mai quel viso, quella bocca aperta che lasciava scorgere i quattro denti, quegli occhi che riflettevano la *fiamma* del lume che lei teneva in mano, e parevano vivi, ridenti.

Paulu picchiò ancora: «Annesa che fai?»

Stese la coperta sul letto, coprì il vecchio fino al collo, poi uscì.

«Mi vestivo. Come, sei tu, Paulu? E il cavallo?»

Egli entrò: era pallido e bagnato, ma sorrideva:

«Non mi hai sentito passare, poco fa? Ho lasciato il cavallo da zio Castigu, perché domani lo conduca al pascolo.»

Non era la prima volta che questo avveniva, ma lei se ne meravigliò come d'un fatto straordinario.

«Non ti aspettavamo. Ho ricevuto il biglietto. Mi hai spaventato tanto! Ho avuto la febbre.»

«Lo vedo che tremi» mormorò Paulu. «Sai, invece ho trovato i denari. Aspettami un momento. Vado su e scendo subito.» La strinse a sé, la baciò sulle labbra. Poi salì alle stanze superiori. Lei non sentì il bacio, non capì che due sole cose, *orribili*, orribili. Egli aveva trovato i denari, era passato prima che lei commettesse il delitto e non aveva picchiato alla porta. Si sedette sullo scalino al

---

livido, blu
fiamma, vedi illustrazione pag. 50
orribile, che suscita orrore

buio e le parve che un peso enorme la schiacciasse. Egli era passato e non l'aveva avvertita: egli era *salvo* e lei era perduta. 'Ho fatto per lui' pensò. 'Mi ha scritto che voleva morire e invece sperava ancora. Mi ha *ingannato* ... mi ha ingannato.'

Quando Paulu la vide sullo scalino della porta pensò che avesse aperto per uscire con lui nell'orto. La prese per la vita e la trascinò con sé. La luna brillava, dal bosco veniva un odore di erba e di terra bagnata.

«Mi sono *pentito* del biglietto» disse: «ero disperato. Ti racconterò tutto adesso. Perdonami. Sta allegra!»

«Andiamo nel cortile. Se ci trovano fingiamo di prendere legna per accendere il fuoco perché sei bagnato.»

Corse alla porta, rientrò e la chiuse. Paulu aveva lasciato il lume nell'andito. Lo prese, entrò nella camera e, in punta di piedi, tornò in cucina e aprì la porta del cortile. Si ritrovò con Paulu.

«Senti che cosa mi è capitato, dopo che ho scritto il biglietto» continuò Paulu. «Sono ritornato nel paese di don Peu; egli mi aveva fatto conoscere la vedova del brigadiere che presta denari a interesse. La prima volta lei aveva detto di no: spinto dalla disperazione torno da questa vedova, e le dico ...»

Mentiva e sentiva di mentire male, ma Annesa non se ne accorgeva. Entrambi avevano qualcosa da nascondersi e oramai ben altre cose le passavano per la mente. Però capiva che doveva mostrarsi più allegra.

«Sono contenta che tu abbia trovato» disse con voce tremante.

---

salvo, che è fuori pericolo
ingannare, illudere
pentirsi, provar dispiacere di aver fatto una cosa

«Ho pensato sempre a te, Annesa. Ora potremo respirare alquanto; io potrò lavorare. Voglio fare qualche cosa: è tempo di pensare ai casi miei. Don Peu mi ha proposto un affare: egli possiede una *miniera,* sui monti di Lula. Gli ho chiesto, scherzando, se voleva prendermi con sé. Accettò. Con mille lire, metterei su una *cantina,* cioè una specie di trattoria dove i *minatori* si provvedono del pranzo e di quanto loro occorre. Guadagnerei il mille per cento.»

«Tu, lavorare in una cantina, tu?» disse Annesa con dolore.

«Io, sì; che male c'è? Non è vergogna lavorare. Sono contento più per questo che per aver trovato i denari. Sono contento anche per quel diavolo maledetto di vecchio. Gli farò vedere che non abbiamo bisogno di lui: e se continua a tormentarci lo farò cacciar via di casa. Vedrai, Annesa: da domani io voglio essere un altro.»

'Domani' pensò lei, 'che accadrà domani?'

«Annesa, voglio sposarti. Ti porterò via con me, andremo nelle miniere: nessuno si metterà più fra noi.»

Non disse, forse perché non lo confessava neppure a se stesso, che aveva bisogno di compagnia per resistere alla solitudine delle montagne di Lula, e aveva bisogno d'una donna per aiutarlo nel suo lavoro. Si aspettava, per parte di lei, segni di gioia; lei invece pareva di non capire, o piuttosto non credere alle parole di lui. Ad un tratto si gettò al collo di lui e scoppiò a piangere disperatamente.

«Annesa» disse, «finiscila. Abbiamo pianto abbastanza: è tempo di finirla. Dimmi una buona parola, e poi an-

---

miniera, luogo dove si cavano minerali
cantina, qui specie di trattoria
minatore, operaio che lavora nelle miniere

diamo a dormire. Sono stanco e qui fa freddo e tu hai la febbre. Parleremo domani. Ma credi pure, oramai tutto è finito; arriva un momento di riposo per tutti.»

Lei piangeva col viso nascosto sul petto di lui. Avrebbe voluto morire così, sciogliendosi in lagrime. Aveva una terribile paura che egli, passando per la camera, si accorgesse del delitto. Temeva anche di star sola.

«Aspetta» gli disse, «non occorre aspettare a domani per parlare. Verrò nella miniera. Come puoi aver pensato il contrario? Con te io verrei lontano, in altre terre, nelle altre parti del mondo. Se tu commettessi un delitto, verrei con te nell'*ergastolo,* porterei le catene, non ti lascierei mai!»

«Speriamo non occorra» egli osservò, poco *turbato.*

«Non voglio che tu mi sposi. Dirai che mi porterai con te come serva. Basta che tu non mi abbandoni!» Gli prese un braccio, stringendolo forte. «Tu non mi lascierai qui, vero? Hai promesso. Ah, ah, Paulu . . .»

«Annesa, che hai?» domandò inquieto. «Ho promesso e manterrò. Va a letto. Hai la febbre.»

La baciò ancora, poi attraversò la cucina senza far rumore. Le parve di essere sola nel mondo, abbandonata da tutti, davanti a una porta che s'apriva su un luogo di *terrore* e di morte. Entrò in cucina e chiuse, ma non ebbe il coraggio di entrare nella camera. Il fuoco s'era spento. Sentiva freddo, ma non ebbe più la forza di muoversi. Le pareva di non essersi mossa da quel posto in tutta la notte; tutto era stato un sogno, orribile da prima, triste e dolce poi.

---

ergastolo, prigione a vita
turbato, agitato; preoccupato
terrore, forte paura

Quando si svegliò, ricordò ogni cosa. La febbre era cessata e non sentiva più terrore. Pensò a quanto le restava da fare. Ella non aveva nulla da perdere, ma non doveva accadere male agli altri.

Entrò nella camera. Avrebbe voluto scuotere il cadavere, fargli prendere un'altra posizione, ma non osò: le pareva che, toccandolo, le sue dita sarebbero rimaste attaccate a quelle carni morte.

Salì al primo piano e batté all'uscio di donna Rachele. Gli uomini dormivano all'ultimo piano.

«Donna Rachele, apra; ziu Zua sta male, sta per morire.»

«Gesù Maria, va e chiama subito prete Virdis. Va e chiama mio padre» gridò la vedova, correndo ad aprire.

Rosa, che dormiva con la nonna, si svegliò e si mise a piangere. Annesa entrò e disse tranquillamente:

«Non si spaventi. Credo che ziu Zua sia morto.»

«Come lo dici!» gridò la vedova. «Morto così, senza *sacramenti*, senza niente! Che dirà la gente, Signore mio Dio. Che lo abbiamo lasciato morire così! Perchè non chiamavi?»

«Non mi sono accorta di nulla. Ora pochi minuti fa mi sono svegliata, e non . . .»

Donna Rachele non l'ascoltava più! Mezzo vestita s'era precipitata giù per le scale, al buio, gridando:

«Senza sacramenti! Dio, Signore mio!»

Rosa piangeva sempre. Don Simone batté il bastone sul pavimento della sua camera, Paulu aprì il suo uscio e domandò:

«Cosa c'è, Annesa? Mamma?»

«Scenda subito» gli disse Annesa, «chiami i nonni! Ziu

---

sacramento, qui l'olio santo dato dal prete a chi sta per morire

Zua è morto.»

Poi corse fuori, giù per le scale, sempre più decisa a non tradirsi. Vide donna Rachele scuotere il braccio della vittima. «Nulla, nulla! È morto davvero. Ma come è stato, Annesa? Dio, Signore mio, che dirà la gente?»

«Stanotte ha avuto un altro accesso d'asma, come quello d'ieri notte: anzi ha gridato tanto. Credevo l'avessero sentito. Poi si è calmato, si è addormentato: anche io ero stanca, mi sono addormentata profondamente. Poco fa mi sveglio, ascolto, non sento nulla: accendo il lume, guardo . . .»

«Dio, Dio, perché non hai chiamato, stanotte? Bisogna tacere adesso; non bisogna dire che è morto così, senza che noi ce ne accorgessimo.»

«Sì, sì! Diremo che c'eravamo tutti» disse Annesa.

Paulu entrò e corse a guardare il morto; lo fissò, lo toccò. Il suo viso non esprimeva né dolore, né gioia.

«È andato! Come è stato, Annesa?» domandò.

Annesa ripeté quello che aveva detto a donna Rachele.

«C'è bisogno di disperarsi così, mamma? È morto: che dobbiamo farci» disse Paulu, al quale era saltato in mente il dubbio che il vecchio fosse morto durante il suo incontro con Annesa.

«Bisogna lavarlo e cambiarlo» disse donna Rachele, calmandosi. «Annesa, va a accendere il fuoco.»

Dopo un momento si udì la voce di don Simone:

«Ma che è stato? Cosa dice Annesa?»

«Che colpa ha quella lí? Lasciatela tranquilla» disse Paulu. «È morto e sia pace all'anima sua.»

Nel silenzio improvviso si sentì piangere Rosa, e subito ziu Cosimu Damianu, avanzandosi con la bimba fra le braccia, domandò:

«E Annesa? Ma che è avvenuto? E Annesa che ha fatto?»

Annesa e Annesa. Tutti se la prendevano con lei, ma lei era decisa a lottare contro tutti. Uscì nel cortile: il cielo non era ancora bianco, la luna, grande e triste, calava dietro il muro del cortile. Annesa avrebbe voluto che la notte non finisse ancora; aveva paura della luce, della gente *maligna*. La gente? Lei odiava la gente. Per la gente aveva rinunciato al sogno di tutte le donne oneste: al sogno di sposare l'uomo che amava: per la gente, per la vergogna e la disperazione che avrebbe fatto subire a Paulu se egli lasciava cacciar via i nonni e la madre dalla casa, lei aveva commesso il delitto.

Entrava ed usciva con l'acqua calda.

«Sia pace all'anima sua» sentì dire Paulu, «vi assicuro che mi dispiace la morte del vecchio, ma non posso piangere. Ci ha troppo tormentato.»

«Figlio di Sant'Antonio» disse zio Cosimu, «non hai capito che non ti conviene parlare così? Sta attento.»

«Ma, infine, che ho da temere?» esclamò Paulu. «Spero che non diranno che l'ho fatto morire io.»

«Eh, possono dirlo, invece« rispose il vecchio. «E poi, non si tratta di questo, ora. Si tratta di pregare o di star zitti.»

«Egli non era poi così cattivo, no» disse don Simone. «Lo abbandonavamo ogni giorno di più, lo lasciavamo solo. E lui, ora posso dirlo, lui voleva farci del bene. Aveva dato il compito a prete Virdis di acquistare per lui la casa e la tanca.»

«Lasciamolo in pace« disse Paulu che voleva fargli sapere che non aveva bisogno dell'aiuto del vecchio. «Ma

---

maligno, cattivo; che giudica male gli altri

se egli veramente voleva farci del bene poteva risparmiarci tanti dispiaceri. Voi volete che io non parli, ma non posso tacere. Ieri notte ho fatto tardi. Ho trovato i denari, ma come mi sono umiliato! Da una vedova equivoca ho dovuto prenderli, e li ho presi: che dovevo fare? Avevo l'acqua alla gola.»

«Chi dice nulla? Se tu ritornerai quei denari, che t'importa della vedova?»

«Li ritornerò, certo! Ma non con i denari del morto. No; voglio dirvi anche questo. Ho trovato un lavoro. Andrò nelle miniere.»

I due nonni si guardavano e don Simone scosse la testa: ed anche ziu Cosimu strinse le labbra e fece segno di no. No, no: egli non credeva alle parole del nipote.

Paulu tacque: aveva detto tutto quello che gli premeva di far sapere ai nonni. Il resto lo avrebbe detto a sua madre, più tardi. Era quasi felice, si sentiva giovane, forte, pieno di buona volontà: l'avvenire gli appariva quasi roseo.

Appena fu giorno Annesa andò a chiamare prete Virdis che venne subito con lei. Entrato nella camera del morto si mise in ginocchio e pregò; poi uscì in cucina e si sedette vicino alla tavola.

«Annesa mi ha raccontato che eravate tutti presenti quando Zua è morto. Ah, perché non mi avete chiamato, angeli santi? Che male avete fatto!»

«Egli aveva di questi accessi quasi tutte le sere. Il medico aveva ordinato un calmante. Stanotte però il male è stato così forte ed improvviso che Annesa non ha fatto in tempo a versare il calmante nel bicchiere» disse donna Rachele, benché le dispiacesse di mentire. «Abbiamo trovato questo pacco sotto i guanciali, e non l'abbiamo aperto aspettando che lei venisse.»

«Apritelo pure» disse prete Virdis. «L'altro giorno mi aveva consegnato le sue carte valori e il testamento.»

«Tutto è in buone mani» mormorò donna Rachele, svolgendo il pacco. Ma Paulu disse con rabbia:

«Aveva mandato via di casa il testamento? Mi credeva dunque capace di *falsificarlo.* Sono giudicato così basso? E anche da lei, prete Virdis?»

«Pensiamo ad altro!» rispose il prete. «Io ho compiuto la sua volontà, e null'altro. Ora pensiamo a seppellirlo, poi parleremo del resto.»

«Me ne vado subito in campagna!» gridò Paulu. Nessuno mi ha visto tornare ieri. Non posso restar qui, oggi. Sono troppo arrabbiato, prete Virdis! Egli mi offende anche dopo morto. Vado via: potrò parlar male, e ogni parola mi sarebbe pesata.»

«Va pure, cattivo cristiano, va!» gridò prete Virdis.

Annesa gli corse dietro e gli disse:

«Tu non farai questo, tu non andrai, Paulu! Che dirà la gente?»

«Lasciami andare. È ancora presto: nessuno mi vedrà.»

Uscì. Donna Rachele, prete Virdis e don Simone parlarono a lungo; poi il prete se ne andò, promettendo di provvedere a tutto per i funerali.

Più tardi la casa si riempì di gente: vicini, parenti, amici. Vennero anche i due vecchi fratelli che il giorno prima avevano preso parte al pranzo dei poveri; e l'amico del morto disse:

«Come si muore presto! Ieri ancora Zua era pieno di vita.»

Annesa uscì nel cortile per preparare il pranzo. Ma

---

falsificare, cambiare una cosa segretamente perché venga presa per quella originale

mentre attraversava la cucina si accorse di uno dei vecchi.

«Che fai lì?» gli domandò, inquieta. «La gente è di là, nelle stanze di sopra. Va di là.»

«Don Paulu, dov'è?»

«Non lo so« gli rispose Annesa.

«Se ritorna allora digli che c'è la gente maligna, nel mondo. Molta gente maligna.»

«E lascia che ci sia! Ma non abbiamo tempo per pensare a queste cose, oggi . . .»

«Bisognerebbe avvertire don Paulu» ripeté l'altro.

«Non ne ha bisogno. Lasciami in pace.»

Ritornò in cortile, ma si sentì di nuovo inquieta. Avvertire Paulu? Di che? Oramai la *cassa* nera custodiva il suo segreto, come lo custodiva lei.

A poco a poco la gente se ne andò; e i vecchi nonni e donna Rachele mangiarono tranquillamente, come persone che hanno la coscienza tranquilla dopo aver compiuto il proprio dovere.

cassa

Domande

1. Che effetto fanno le notizie di Paulu su Annesa?

2. Quali sono i motivi di Paulu per voler sposare Annesa e perché lei non può accettare?

3. Che cosa racconta Annesa la mattina sulla morte di ziu Zua?

4. Di che cosa si preoccupa la famiglia?

5. Perché Paulu lascia la casa?

6. Che cosa fa capire il vecchio ad Annesa ai funerali di ziu Zua?

7

Alle tre il morto fu portato via e Annesa rimise tutto in ordine. Dopo i funerali prete Virdi ritornò e domandò se Paulu era tornato.

«Questa mattina l'hanno veduto uscire» disse il prete. «Errore sopra errore. Sì, cari miei, da ieri ad oggi avete fatto un sacco di errori.»

«Che vuol dire con queste parole?» domandò don Simone; ma prete Virdis disse soltanto:

«Devo andare. Se avete bisogno di me, chiamatemi.»

Finalmente la casa restò tranquilla. Annesa si sedette sullo scalino della porta che dava sull'orto e guardò verso la montagna. 'Tutto è finito' pensava. 'E ora bisogna andarsene. Se resterò qui, in questa casa, non sarò più capace di ridere, di parlare, di lavorare. Ho liberato gli altri dal vecchio, ma mi sembra d'essermi caricato un peso sulle spalle: è il vecchio che geme ancora.'

Con l'ombra della sera tornò la febbre. Ebbe voglia di muoversi: accese il fuoco e preparò la cena; pensò di andare alla fonte e cercò la brocca. Le girava la testa e dovette appoggiarsi al muro per non cadere. Donna Rachele si accorse che stava male e le tolse la brocca di mano:

«Figlia mia, dammi ascolto; va piuttosto a letto.»

«Bisogna andare» disse Annesa con voce stanca.

«Bisogna andare a letto, figlia! Hai la febbre.»

«Ebbene, vado a prendere Rosa e mi faccio dare un po' d'acqua da zia Anna: mi lasci andare.»

Prese una piccola brocca e uscì: la sera cadeva; i contadini tornavano, sui loro piccoli cavalli stanchi, e attraverso le porticine aperte si vedevano le donne intente ad accendere il fuoco e a preparare il pasto per i loro uomini.

Annesa pensò a Paulu, si fermò e stette un momento a

guardare se qualche pastore scendeva dal sentiero della montagna. Ma non vide nessuno, ed entrò nella casetta di zia Anna.

«Annesa, sei tu? Rosa è andata alla fonte con Ballora» disse zia Anna. «Ballora riporterà Rosa a casa vostra, nel ritornare dalla fonte. Hanno aperto il testamento?» domandò poi. «È vero che lo aveva prete Virdis? Ah, quel vecchio avaro! Oggi s'è sparsa la voce che Paulu l'ha *bastonato* fino a farlo morire.»

«Ah» gridò Annesa, «si dice questo?»

Tremava di febbre e di paura.

«Che hai?» le domandò zia Anna.

«Tutte le sere, da qualche tempo in qua, ho la febbre. Ora vado; sono stanca morta. Addio.»

S'avviò con fretta, sperando di trovar Paulu già rientrato; ma a metà strada le parve di sentire la voce di Ballora e Rosa che piangeva. Si mise a correre ed incontrò infatti la nipote della zia Anna che a sua volta correva, con Rosa fra le braccia.

«Rosa, Rosa!» gridò Annesa, deponendo per terra la brocca. «Che c'è? Che c'è?»

Rosa le si gettò al collo, piangendo.

«Torna indietro» disse la fanciulla con voce ansante. «I carabinieri ti cercano: sono lì in casa vostra, e arrestano tutti. Tutti, anche zia Rachele.»

Correva via, quasi fuggendo da un luogo pericoloso. Annesa seguiva con Rosa e domandava con voce ansante:

«Come? Come?»

«Non so . . . Siamo arrivate davanti alla vostra porta: volevo riportare Rosa. Ma davanti alla casa c'era gente, e

---

bastonare, colpire con un bastone

una donna mi disse: ci sono i carabinieri: arrestano tutti
... e cercano Annesa. Allora misi la brocca per terra, presi
Rosa e scappai. Bisogna avvertire zia Anna. E tu nasconditi, Annesa, nasconditi, nasconditi!»

Arrivarono alla casa di zia Anna e Ballora le raccontò tutto.

«Non restare qui, Annesa, non restare. Prima d'ogni altro posto, verranno a cercarti qui» le disse.

«Dove volete che vada? Torno a casa.»

«Ascoltami, Annesa» continuò zia Anna, «tu vuoi farti
arrestare? Guardatene bene, se sai qualche cosa: sei una
donna, sei debole, finiranno col farti parlare.»

«Ma voi ... anche voi credete? ...»

«Io non so niente! Tutto il paese dice che Paulu ha bastonato il vecchio fino a farlo morire, e che tutti voi siete
complici. Se siete *innocenti,* perché vuoi farti arrestare? Na-
scondi in qualche posto sicuro. Vedrai che è cosa da
niente: domani forse tutto si accomoderà.»

«Appunto. Voglio costituirmi per questo. Dove volete
che vada? Non sono un uomo, per correre fra i boschi.»

«Sentimi» continuò zia Anna grave: «devi sapere quello che è accaduto, e la giustizia ti cerca appunto perché
spera che tu parli. Guardati bene di lasciarti prendere, ti
ripeto, se tu vuoi bene a Paulu. Lo sai, egli è per te un fratello: non perderlo, non parlare.»

«Se occorrerà dirò che la *colpevole* sono io, io sola» disse
Annesa. Ma zia Anna le mise la mano sulla bocca:

«Vedi? Chiacchieri già. Zitta, figlia. Non devi parlare,

---

complice, chi aiuta altri a commettere un delitto
innocente, che non ha commesso colpa
colpevole, che è in colpa

capanna

non devi accusarti. Non ti crederebbero: e ti costringe-
rebbero a dire ciò che davvero hai veduto. E li perderai,
figlia, li perderai tutti!»

«Ah, no, no, non ditelo neppure» disse Annesa. «Credete che Paulu sia rimasto lassù?» domandò poi, guardando verso la montagna.

«Credo. Qualche amico, qualche anima buona avrà
cercato di informare Paulu, e egli non si sarà mosso dal-
l'ovile di ziu Castigu. Non ti pare?»

«Lo credo!» esclamò Annesa. «E se è libero tutto si accomoderà.»

'Se io potessi vederlo' pensò, 'se potessi parlare con lui.'

Che cosa gli avrebbe detto? Non la verità, certo. Ma il
desiderio, il bisogno di vederlo, di combinare con lui il
miglior modo di difendersi per salvarsi, la spinsero verso
il sentiero della montagna.

Lassù, fra le roccie e i vecchi boschi s'aprivano *grotte* e
nascondigli che solo i pastori conoscevano. Senza dubbio

---

nascondiglio, luogo dove ci si può nascondere

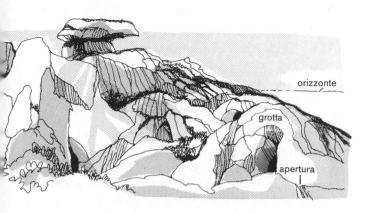

orizzonte

grotta

apertura

Paulu stava lassù, in attesa che la *calunnia* venisse *smentita*.

Passando dietro la chiesetta, dove cominciava il sentiero della montagna, Annesa si fermò ad ascoltare e a guardare verso il villaggio. Non vide nessuno. Le parve che la notte, la luna, le ombre, il silenzio le fossero amici: tutte le cose tristi oramai le davano coraggio. Cammina, cammina; cominciò a salire dove era morto il mendicante suo primo compagno di viaggio. Avanti, avanti: lei andava e non sapeva dove sarebbe arrivata, come non sapeva da dove era venuta.

Su, su, di pietra in pietra. Il mare apparve come una nuvola d'argento e a destra del sentiero una chiesetta. Seguì il suono dei *sonagli* delle pecore di ziu Castigu e giunse fino alla *capanna* del vecchio pastore.

«Annesa, che c'è? Sei tu, anima mia?» gridò con voce spaventata. «Che è accaduto?»

«Dov'è?» domandò Annesa con voce bassa e ansante.

---

calunnia, l'accusare falsamente qlcu. pur sapendolo innocente
smentire, dimostrare che è falso ciò che è stato detto
sonaglio, vedi illustrazione pag. 24

Il pastore la guardò da vicino: «Chi?» domandò.

«Chi? Paulu!» disse quasi dispettosa.

«Paulu! E chi lo ha veduto?»

Sulle prime lei credette che il vecchio mentisse.

«Ditemi dov'è! A me potete dirlo, credo! Sono venuta per lui: devo parlare con lui.»

«Ma che è accaduto? Ti giuro che non l'ho veduto.»

«Ah, che disgrazia! Credevo che fosse qui . . . nascosto» gridò. «Lo cercano, ziu Castigu mio! Cercano anche me. Hanno arrestato don Simone, ziu Cosimu, donna Rachele: e devono arrestare anche Paulu, anche me. Ci accusano di aver ucciso ziu Zua. Dov'è Paulu, dov'è?»

Il vecchio diventò pallido. «Mio nipote Ballore, venuto qui stamattina, mi raccontò che don Paulu s'era ripreso il cavallo dicendo che doveva andare in campagna. Io non l'ho veduto, purtroppo» disse. «Raccontami tutto: Mi pare di sognare. È mai possibile ciò che dici? Non sei . . . malata?»

«No, non sono pazza, ziu Castigu. Vorrei esserlo, ma non lo sono» ella disse con disperazione e raccontò quello che sapeva. D'un tratto fu presa di nuovo dalla paura; pensò che lei sola era veramente in pericolo, mentre gli altri, innocenti, avrebbero trovato modo di salvarsi. Pregò il vecchio:

«Per l'anima dei vostri morti, nascondetemi! Dove sono le grotte? Portatemi là. Bisogna che io stia nascosta, finché loro non sono salvi . . .»

Gli strinse le braccia, poi si gettò per terra, gli abbracciò le ginocchia. Egli la guardò, dall'alto, e un pensiero gli saltò in mente, intese la verità. Ma più che orrore sentì una profonda *tristezza:*

---

tristezza, l'essere triste

70

«Sì, ti nasconderò. Alzati e vieni con me» disse, «ti nasconderò, e tu resterai là dove ti condurrò e starai zitta come le roccie, finché non tornerò io.»

Si avviò verso il bosco, e ella lo seguì. Era la stessa strada fatta con Paulu q u e l g i o r n o, il primo del loro amore. Quando furono sotto la tomba del gigante, ziu Castigu prese a salire di pietra in pietra, tirandosi dietro la donna cieca di dolore e di lagrime.

«Perché piangi ancora? Non aver paura, ti dico: vedrai. Cammina piano, bada di non cadere.»

D'improvviso apparve tutto l'altro *versante* della montagna, e valli e valli e altre montagne e altre montagne ancora. Ziu Castigu l'aiutò a scendere e finalmente si fermarono davanti all'*apertura* bassa e larga d'una grotta.

«Qui, vedi, dopo che tu sei entrata, io metterò una pietra» disse il pastore. «Nessuno potrà trovarti.»

Le ore passarono. Finalmente ziu Castigu ritornò:

«Don Paulu non è stato ancora arrestato, ma lo cercano da per tutto. Cercano anche te.»

«Dove sarà Paulu? Dove credete che sia?» domandò lei.

«Che posso saper io? Bevi un po' di latte. Mangia questo pezzo di pane. Ho parlato con prete Virdis. Crede che non risulterà nulla, poiché vi ritiene innocenti tutti. Oggi arriveranno due medici da Nuoro, per la *perizia medica* del cadavere. Se niente è accaduto niente risulterà. Fra qualche ora verrà su Ballore che mi porterà notizie. Tornerò.»

---

versante, ciascuno dei due fianchi di un monte
apertura, vedi illustrazione pag. 69
perizia medica, giudizio fatto da un medico sulla causa di morte

Annesa mise il latte e il pane sulla roccia e non mangiò. 'Se niente è accaduto niente risulterà'. Potevano ben sperare, gli altri: ella non sperava più. 'Mi cercano' pensava 'e finiranno per trovarmi. Il vecchio oramai parlerà: dirà il segreto ai medici. Lo hanno *dissotterrato* per questo. Egli parlerà, egli parlerà.'

Pensò al suo amante e sentì tutto il dolore del bene perduto. 'Mi condanneranno, mi porteranno lontano.'

Là ella avrebbe ricordato il suo Paulu come gli angeli maledetti ricordano il Signore. E più nulla di lui ella avrebbe posseduto; forse neppure il pensiero, perché egli non poteva certo pensare a lei, assassina.

'Perché ho fatto questo?' si domandò cadendo in ginocchia. 'Dio disse: non ammazzare, non *fornicare* . . . Io ho chiuso gli occhi alla luce di Dio, e sono caduta come cadono tutti coloro che non guardano dove passano.'

---

dissotterrare, togliere da sotto terra
fornicare, fare l'amore tra persone non sposate

Domande

1. Qual è lo stato d'animo di Annesa dopo i funerali di ziu Zua?

2. Quali notizie le porta Ballora?

3. Perché zia Anna le consiglia di nascondersi?

4. Qual è il motivo di Annesa per fuggire?

5. Come la accoglie ziu Castigu?

6. Come si sveglia in Annesa il senso di colpa?

8

Zio Castigu ritornò solo verso sera: Annesa s'accorse che era serio e preoccupato.

«Lo hanno preso?» domandò.

«Si è costituito. Ha fatto male!»

Ella diventò pallida: «Perché male? Credete forse che egli sia colpevole? Anche voi li credete colpevoli? Voi che avete mangiato il loro pane, che avete dormito nella loro casa? Ebbene, vedremo quando i medici faranno la perizia se il vecchio è stato bastonato!»

«Calmati, donna» disse zio Castigu. «Sei arrabbiata e hai ragione, ma non prendertela con me: ho pianto sulla loro sorte come si piange sui morti. Ascoltami, figlia: tu dovresti parlare con prete Virdis.»

Ella fece segno di no.

«Né ieri, né oggi, né mai ho da dire niente a nessuno» ella gridò. 'Ziu Castigu ha inteso tutto' pensava 'e vuole farmi confessare, vuol farmi dire tutto al prete. Ma io non voglio . . . non ancora.'

La sera del terzo giorno il vecchio pastore entrò nel nascondiglio e si sedette accanto ad Annesa.

«Che avete da raccontarmi?» ella domandò.

«C'è questo: tutti dicono che tu dovresti presentarti alla giustizia. Se si nasconde, dicono, deve sapere qualche cosa. Anche prete Virdis è di questa opinione. È stato lui a consigliar Paulu a costituirsi, e vorrebbe che anche tu ti presentassi.»

«Che sa lui di me?»

«Annesa, egli sa che io ti vedo . . .»

«Voi, voi mi avete tradito» gridó, alzandosi. «Voi avete tradito una povera donna. Ora non vi resta che legarmi e consegnarmi alla giustizia.»

«Non parlare così» riprese il vecchio, calmo e triste. «Io non ti ho tradito: sono andato da prete Virdis, perché è la sola persona che si cura dei nostri poveri padroni e vuol salvarli a tutti i costi. A sue spese ha fatto venire da Nuoro un avvocato. Vuole parlare con te. Tu dici che non pensi ad altro che a salvarli: e questo è il nostro scopo. Bisogna salvarli, Annesa.»

Ella piangeva, con la testa appoggiata alla roccia. Sentiva che il vecchio aveva ragione. Che aspettava ancora? Tre giorni erano trascorsi, e non aveva fatto niente per loro.

«Se hai paura di ritornare al paese, prete Virdis verrà qui.»

«Ebbene» lei rispose. «Fate pure venire il prete.»

Il loro incontro avvenne davanti alla chiesetta. Era notte ancora; la luna saliva sull'orizzonte. Prete Virdis era venuto su a piedi, ed era anche caduto facendosi male a una mano. Annesa lo trovò seduto su una *muriccia* davanti alla chiesa. Pregava. Quando Annesa apparve, la fissò con i suoi piccoli occhi grigi:

«Va bene» disse, «eccoci qui! Avanti, siediti.»

Annesa prese posto accanto a lui; e da quel momento non si guardarono più, entrambi con gli occhi fissi verso l'orizzonte dove il cielo pareva coperto di veli che uno dopo l'altro cadevano lentamente dietro le ultime montagne dell'orizzonte.

Annesa disse:

«Mi dispiace che lei sia venuto quassù. Ma fino a ieri sera ho avuto paura; sono una debole donna, prete Vir-

---

muriccia, muro basso

dis, mi perdoni. Stanotte però ho pensato ai casi miei. Voglio presentarmi alla giustizia.»

«Raccontami ogni cosa» pregò il vecchio prete.

Ella raccontò come era fuggita.

«Non questo solo. Raccontami come è avvenuta la morte del vecchio.»

Annesa ripeté quanto aveva detto prima.

«Questa è la pura verità. La mia colpa è di non aver subito chiamato, appena il vecchio è morto.»

Prete Virdis ascoltava e respirava forte.

«Tu non dici la verità, Annesa» osservò. «Ed io sono qui per sentire la verità, non per altro.»

Ella non rispose.

«Sentimi, Annesa. Io non voglio giudicarti. Io qui sono soltanto un uomo: un uomo che ama i suoi simili e vorrebbe aiutarli: e tu devi aiutarmi.»

«So tutto questo, e sono pronta. Che devo fare? Ho detto la verità» ella insisté.

«No, Annesa, tu non l'hai detta. Io però la so, e la so prima di te, da lunghi e lunghi anni, e l'ho veduta crescere insieme con te, ed è una verità da far paura; è come un *serpente* che è cresciuto con te, che si è attaccato a te e forma con te una stessa cosa. Donna e serpente. Una stessa cosa che si chiama Annesa.»

«Prete Virdis» ella disse, alzando la voce, tra offesa e spaventata, «non parli così! Che ho fatto io?»

«Tu lo sai senza che io te lo dica. Ma una sola cosa ti di-

serpente

76

co: Paulu è corso da me, quando qualcuno lo avvertì del pericolo. Io lo accolsi come ziu Castigu accolse te. Nell'ora del dolore m'ha detto tutto.»

«Ebbene, che può averle detto? Che ci siamo amati. Ma non sono stata sempre al mio posto, io? Che ho fatto di male?»

«Ecco il serpente che parla! Che hai fatto di male? Hai *peccato*, null'altro? Ti par poco?»

«Ebbene, sia pure: ho peccato. Ma il male l'ho fatto a me stessa soltanto.»

«Ma non dovevi farlo a te stessa, il male, meno che agli altri. Dio ti ha dato un'anima pura, e tu l'hai *insozzata*. Ti sei trattata come la tua peggiore nemica. Questo è il tuo maggiore delitto. Dio ti aveva dato un'anima umana e tu l'hai uccisa, tu l'hai soffocata, tu l'hai dentro di te come un cadavere in una tomba.»

«Prete Virdis! Prete Virdis!» ella gemette, portandosi le mani al viso.

«Se ti parlo così è perché so che mi capisci. Sei intelligente e forse hai già detto a te stessa, molte volte, quello che io adesso ti ripeto. Sono anni che non venivi alla messa e io aspettavo il tuo ritorno. Dio solo può salvarti, ora. Hai commesso una colpa dopo l'altra perché questo è il destino di chi si mette sulla via dell'errore. Ho detto che la tua anima è morta, ma ho detto male. L'anima non muore, ma è malata. Cerchiamo di guarirla. Anna, rispondimi: credi più in Dio?»

«Non so» rispose Annesa. «Da molti anni non credevo più in Dio, perché troppe disgrazie cadevano sulla nostra famiglia. Ed è gente onesta che ha timor di Dio. Perché

---

peccare, commettere peccato
insozzare, rendere sporco

dunque il Signore continua a tormentarli? In questi giorni, però, ho pensato a Dio. Non sono cattiva come lei crede; ho fatto male a me stessa, è vero, ma l'ho fatto per far del bene agli altri. Mi dica che cosa devo fare. Devo accusarmi d'aver ucciso il vecchio? Sono pronta. Ma mi crederanno?»

«Non ti crederanno, perché questa non è la verità. Non devi parlare così, no, no! Ecco, tu devi dire: 'Sono io sola la colpevole; io che ho ucciso non per odio, non per amore, ma per interesse. Sono il serpente e la donna, e ho girato anni e anni intorno all'albero del frutto proibito. Ho *indotto* l'uomo debole a peccare con me. E quando mi sono stancata del peccato della carne, ho rivolto i miei desideri ad altre cose: ho detto a me stessa: voglio legare l'uomo a me con altri mezzi . . .'.»

«Non capisco, non capisco niente» ella mormorò.

«Insomma, devi dire così: 'Ho ucciso il vecchio in modo da far credere, se il delitto si scopriva, che Paulu era il colpevole e io sua complice. Con questo delitto volevo legarmelo sempre a me . . .' Questa è la verità.»

Ella saltò in piedi, pallidissima.

«Prete Virdis» gridò, «è Paulu che le ha detto questo? Mi guardi, in nome di Dio! Crede lei in sua coscienza a quanto ha detto? Se lo crede lei, se lo ha creduto Paulu . . . lo crederò anch'io . . . correrò giù, in paese, alla porta del carcere e pregherò che mi venga aperta.»

Il prete aveva alzato la testa e guardava la disgraziata. Gli occhi disperati di lei non erano quelli di una assassina *astuta*.

---

indurre, muovere qlcu. a fare qlco.
astuto, abile nel vedere o nel fare l'utile proprio

«Calmati, Anna» le disse, «può darsi che io mi sbagli. Riprendi il tuo posto e ascoltami. Paulu rimase da me una notte e si parlò a lungo. Mi disse d'essere tornato la sera prima e di aver parlato con te, mentre il vecchio dormiva. Ti disse di aver trovato i denari. Promise di sposarti: ma tu non l'hai creduto, hai espresso il timore che egli, andandosene, ti dimenticasse. E dopo il vecchio morì: non si potrebbe dunque credere che tu l'abbia ucciso per impedire a Paulu di partire?»

«Prete Virdis» ella disse allora, coprendosi gli occhi con una mano, «il vecchio era morto quando Paulu tornò. Ebbene, sì» riprese dopo un attimo di silenzio, «le dirò tutto: l'ho ucciso perché credevo di salvare Paulu. E Paulu passò fuori e non mi avvertì: la stessa sorte, che mi portò in questo paese, mi costrinse a diventare quello che sono diventata. Avrei voluto essere una donna come tutte le altre; vivere onestamente. Perché Dio, se è vero che c'è, ha voluto altrimenti?»

«Dio ti ha dato la ragione, Annesa: la tua sorte te la sei creata da te. Credevi d'essere padrona di te stessa e di far di te quello che volevi: tutto ti sembrava permesso perché non avevi padrone. L'ora del vecchio era giunta; non dobbiamo giudicare la sua sorte. Ora pensa a te, Anna; la tua ora non è ancora arrivata, e non importa il modo col quale arriverà. Pensa solo a comparire davanti al Signore con l'anima guarita da ogni male. Il Signore non è crudele come son crudeli gli uomini. Egli dice a colui che è caduto: alzati e bada di non ricadere. Dice a te, Annesa: donna, ti ho aperto gli occhi. Cammina, e non peccare mai più.»

Ella giunse le mani. «Non peccare più, mai più.»

«Forse le cose andranno meglio di come pensiamo. Pensa intanto all'anima tua» le disse il prete.

Chiamarono ziu Castigu che aveva la chiave della chiesetta. Aprirono e prete Virdis *celebrò* la messa.

Annesa rimase tutto il giorno nella chiesetta. 'Mi condanneranno a trent'anni di prigione' pensava. 'Quando ritornerò sarò vecchia. Paulu che dirà? Mi aiuterà? Faccia egli quel che crede: io farò il mio dovere, Dio, Dio mio. E Gantine? Che farebbe, che direbbe Gantine? Dio, Dio, aiutatemi: non voglio più mentire, più ingannare, più far del male. Non sposerò Gantine. Non sposerò Paulu, non peccherò più con lui. Non sono degna di nessuno: vivrò sola, curerò i malati, lavorerò. Porterò da me sola il peso dei miei delitti.' Ma le sembrava impossibile che il suo delitto dovesse restare segreto. 'Si salveranno lo ro, e questo mi basterà.' Piangeva: «Ah, Dio, perdonatemi!'

Ziu Castigu ritornò verso mezzanotte. Annesa non s'era mossa dal suo angolo. Il vecchio pastore s'avanzò nel buio. Dal modo con cui disse: 'Annesa, sai? . . .' ella sentì subito che le avrebbe rivelato il segreto del suo avvenire.

«Ziu Castigu?»

«Domani . . . domani, saranno rimessi in libertà. L'avvocato ha detto a prete Virdis che dalla perizia medica risulta che il vecchio è morto soffocato dal suo male, che nessuno, nessun altro che il Signore, l'ha fatto morire.»

Annesa cadde in ginocchio. 'Il Signore ha perdonato: ha veduto il mio cuore, ha misurato il mio errore e il mio dolore; ha veduto che questo era più grande del mio errore.'

---

celebrare, qui compiere una cerimonia religiosa

Tutto era ora passato? Era possibile? Non era un sogno? Si alzò e disse al vecchio pastore:

«Andiamo, andiamo!»

Quindici giorni erano trascorsi: quindici giorni lunghi e terribili. Ora tutto era finito: e tutto doveva ancora cominciare.

Domande

1. Quali sono secondo il prete Virdis le colpe di Annesa?

2. Per quale motivo, secondo lui, Annesa avrebbe ucciso il vecchio?

3. Come spiega Annesa il suo delitto?

4. In che modo Annesa può salvare l'anima sua?

9

Da due giorni Annesa era nascosta in casa di prete Virdis. Era venuta due sere prima, mentre Paula Virdis, la sorella del prete, dormiva nella sua stanza vicino alla cucina.

Prete Virdis accese il lume nella stanza del balcone. Annesa conosceva già quella stanza povera. Stanca, ma con gli occhi illuminati da una fiamma interna, cadde a sedere quasi vinta dal sonno.

«Sono qui» ella disse, scuotendosi. «Sono passata là, ho ascoltato alla finestra.»

«Dove, là?»

«Là» ella indicò con un forte movimento, come per significare che non poteva esserci altro là, altro posto davanti al quale ella potesse fermarsi.

«Va bene. Va bene.»

Egli si mise a camminare attraverso la camera. Che fare? Come salvarla? Non bastavano le buone intenzioni.

«Penso che l'aria di questo paese non è più buona per te» disse il prete, senza guardarla.

«Sì, voglio andarmene. Non voglio più tornare in quella casa. Ah, mi aiuti lei! Stasera ho avuto il coraggio di non entrare là. Ma domani, prete Virdis? Che accadrà di me domani? Voglio andarmene. Andrò a Nuoro. Mi raccomandi a sua nipote: andrò serva, lavorerò.»

«Paulu verrà a cercarti: tu ricadrai ugualmente.»

«No, no» esclamò Annesa. «Non lo dica neppure!»

Il prete si alzò ed andò a svegliare zia Paula dicendole che bisognava tener nascosta Annesa almeno per qualche giorno. Poi condusse Annesa nella cameretta e lasciò sole le due donne. Zia Paula assomigliava molto al prete, col quale era vissuta sempre insieme.

«Spogliati e vieni a letto con me» disse semplicemente. Annesa ubbidì. «Da tante notti dormivo per terra.»

«Perché non sei ritornata a casa tua?»

«Io non ho casa, zia Paula. Non sono tornata perché la gente dice . . .»

«È vero, è vero. La gente dice che hai fatto morire Zua Decherchi: l'hai fatto arrabbiare e non gli hai dato il calmante. È vero?»

Annesa non rispose.

«Dove andrai? Non tornerai più dai tuoi padroni?»

«Chi sa? Ora ho sonno: lasciatemi dormire.»

«E Gantine? Non l'hai riveduto? Gira per il paese cercandoti; sembra un pazzo.»

«Povero Gantine. È tanto giovane!»

Rimase altri tre giorni nascosta in quella cameretta. Di là sentiva la voce di Gantine che domandava notizie di lei.

«Figlio mio, mettiti il cuore in pace» diceva zia Paula, «Annesa dev'essere scappata lontano, molto lontano. Forse non tornerà mai più in questo paese.»

«Ah, quel vecchio! Se fosse ancora vivo lo ammazzerei io. Anche dopo morto ci tormenta.»

'È vero, è vero' pensò Annesa piangendo nella triste cameretta. 'Se Gantine sapesse, mi scuserebbe? Forse sì, ma egli non saprà mai. No, no; vattene, Gantine. Non voglio più ingannarti.'

Prete Virdis s'affacciò al balcone. Aspettava il *carrozziere* ziu Sogos, che doveva portargli una lettera da Nuoro. Finalmente un vecchio, miserabilmente vestito, batté al portoncino sotto il balcone.

«Venite su» disse prete Virdis, ritirandosi.

---

carrozziere, chi guida la carrozza

Ziu Sogos salì la scaletta ed entrò nella camera.

«Ebbene, avete veduto mia nipote?»

«L'ho veduta, le ho portato la lettera. Ecco qui la risposta.»

«Sedetevi un momento e aspettate» disse prete Virdis, mentre apriva la lettera. «Va bene, va bene» disse poi, lasciando la lettera sulla tavola. «Dovete farmi un favore. Bisogna che domani voi conduciate a Nuoro, nella vostra carrozza, una persona che non vuol esser veduta partire da Barunei.»

«Va bene; ho capito» rispose prontamente il vecchio.

«Basta che questa persona vada a piedi fino al ponte, domani mattina presto, e mi aspetti là.»

«Va bene. E . . . silenzio, non è vero?»

«Va bene. Non dubiti.»

«Andiamo giù: vi farò dare un bicchiere di vino.»

Appena uscito ziu Sogos, prete Virdis entrò da lei:

«Ecco qui la risposta di Maria Antonia mia nipote. Dice che ha trovato un posto per te.»

Prete Virdis tacque e nel silenzio Annesa dimenticò ogni cosa passata, ogni cosa presente, per ascoltare la voce di Paulu Decherchi.

«Che fate, zia Paula? Dov'è prete Virdis?»

«Ah, ah, è lei, don Paulu? Michele verrà, adesso. Venga su in camera.»

Zia Paula lo precedette col lume: egli la seguì.

«Ecco ti lascio qui la lettera» disse prete Virdis ad Annesa: «Leggila. Vado. Coraggio!»

Annesa lesse e rilesse, ma il suo pensiero era là, nella camera dove prete Virdis e Paulu parlavano certo di lei. Avrebbe dato dieci anni della sua vita per poter ascoltare quello che dicevano i due uomini. 'Coraggio! Sì, coraggio, Annesa!' ripeteva a se stessa.

In cucina non si sentiva più alcun rumore: senza dubbio zia Paula, curiosa, stava ad ascoltare su, all'uscio della cameretta del balcone. Passarono alcuni minuti; poi sentì la voce di zia Paula:

«Gantine, sei ancora qui?»

«Vi aspettavo. Don Paulu è arrabbiato, questi giorni; sembra il diavolo in persona: ma sono arrabbiato anch'io. E con voi anche, soprattutto con voi.»

«Maria santissima!» esclamò la vecchia. «E perché?»

«Lo sapete il perché, zia Paula. Annesa è qui, forse è là, dietro quella porta. Ebbene, che ella mi senta, se è lì: bisogna che io parli.»

«Parla piano» disse la vecchia. «Parla pure, ma non alzare la voce. Annesa non può sentirti, è lontana di qui.»

«Non mentite, zia Paula! Troppo a lungo ho fatto lo stupido. Ora ho capito tutto, ho capito tutta la commedia.»

«Non ti capisco, figlio del cuor mio, non ti capisco.»

«Allora ve lo dirò io, quello che succede. Paulu vuole sposare Annesa. Vuole sposarla, perché dice che ella è perseguitata per colpa della famiglia Decherchi.»

«Come sai queste cose, Gantine? La fantasia ti trascina» disse la vecchia curiosa e turbata. «Non t'inganni?»

«No, zia Paula. Il fatto è così. Essi credono Annesa colpevole. Paulu dice che vuol sposare Annesa per dovere; essi lo chiamano pazzo. Dice che vuol andarsene via, nelle miniere, e condurla con sé: Donna Rachele piange sempre, don Simone pare *moribondo* per la rabbia e il dolore. Le cose stanno così, zia Paula; purtroppo.»

«Ma Annesa forse non ne sa niente.»

«No, no! È d'intesa con Paulu. Altrimenti sarebbe tor-

---

moribondo, che sta per morire

nata a casa. Io oramai l'odio, non la sposerei più, neanche se avesse due tancas.»

Dietro l'uscio Annesa mormorava fra sé:

«Meglio, meglio, meglio così.»

«Non m'importa più nulla di lei» riprese Gantine, «solo, vorrei vederla per dirle che ho pietà di lei. Povera disgraziata! Vorrei dirle: 'Non fidarti di Paulu. Non ti vuol bene: ti vuol sposare perché crede che tu abbia ammazzato il vecchio per lui. Ti bastonerà fin dal primo giorno del matrimonio; farà ricadere sopra di te tutti i guai che l'hanno perseguitato.' Oh, un'altra cosa: c'è una vedova facile di Magadus che dice che Paulu è innamorato pazzo di lei. Gli ha prestato molti denari, il giorno prima che ziu Zua morisse. Dice che glieli ha prestati perché egli ha promesso di sposarla.»

Annesa appoggiata all'uscio si sentiva soffocare, come quando, nella notte del delitto, aveva saputo che Paulu era passato nella via senza avvertirla.

«Io vado» disse Gantine, dopo un momento, con voce più tranquilla. «Se vedete Annesa ditele da parte mia: 'Annesa, fai male a trattarmi così, perché se c'è una persona che ti vuole veramente bene, sono io. Anche se è vero quello che la gente dice che tu hai fatto morire il vecchio a me non importa. Io l'avrei fatto morire un anno prima d'oggi: l'avrei strangolato, l'avrei buttato sul fuoco'.»

«Bei sentimenti, hai, tesoro» esclamò zia Paula. «Andrai all'inferno vivo e sano.»

«L'inferno è qui, in questo mondo, zia Paula. Buona notte.»

Domande

1. In che modo il prete Virdis vuol aiutare Annesa?

2. Che cosa Annesa, dal suo nascondiglio, sente raccontare da Gantine?

3. Quali sono i sentimenti di Gantine verso Annesa?

10

L'alba cominciava a *rischiarare* il cielo, sopra il monte San Giovanni, quando Annesa scendeva verso il ponte. Pareva di aver paura di rompere il silenzio del luogo e dell'ora. Arrivata vicino al ponte si mise dietro una roccia e si sedette su una pietra. Mise per terra il *fagotto* che le aveva dato zia Paula.

Poco lontano sorgeva un *elce* e alcune *fronde* d'edera, strappate dal *tronco* dell'albero, stavano sparse per terra. Le vide e ricordò che Paulu l'aveva assomigliata all'edera. Addio, addio! Ora tutto era finito davvero.

D'un tratto sentì una carrozza che si avvicinava. Si alzò, ascoltando. Era ziu Sogos? Era presto ancora. Prese il fagotto e si avanzò: ma appena fatto qualche passo si fermò. Paulu Decherchi era lì, a pochi passi, fermo davanti a un carrozzino a due posti.

«Annesa!»

Annesa non si mosse; lo guardava spaventata, vinta da un sentimento di paura e di gioia. Egli le fu vicino e le disse qualche parola: ella non sentì. Per un attimo dimenticò ogni altra cosa che non fosse lui: se in quel momento egli le avesse preso la mano dicendo 'torniamo a casa', lo avrebbe seguito.

Ma Paulo non le prese la mano, non le propose di tornare a casa ed ella si calmò, vide che egli era invecchiato, e che la guardava in modo strano, con occhi cattivi.

«Che vuoi?» domandò, come svegliandosi da un sogno.

«Te lo dirò in viaggio. Cammina, su; montiamo sul carrozzino. Avremo tempo di parlare in viaggio.»

---

rischiarare, render chiaro

elce

tronco

fronda

fagotto

«Io non partirò con te.»

Gli occhi di lui s'accesero di rabbia. Si avvicinava a lei, e se ne allontanava, spinto da sentimenti contrari, da rabbia e da passione, da pietà e da orrore.

«Tu partirai con me. E subito!» disse seguendola fin sotto l'elce.

«Io non verrò con te, non verrò più. Non te lo ha detto prete Virdis?»

«Tu verrai con me, senza dubbio: se non oggi domani. Parti sola adesso, se vuoi, ma bada bene a quanto ora ti dico: ti proibisco di fare la serva. Non sono un *vile*, io, capisci, sono Paulu Decherchi, e so il mio dovere. Io non ti abbandono. Hai capito?»

«Ho capito. Tu non sei un vile e non mi abbandoni. Sono io che devo fare il mio dovere. E lo farò.»

---

vile, che manca di coraggio

«Lascia le parole inutili, Anna. Non devi tormentarmi oltre. Sono stanco, hai capito! Sono stanco di prete Virdis, e delle idee che egli ti ha messo in mente. Sono stanco di tutto; è tempo di finirla!»

«Sì, è tempo di finirla, Paulu. Non gridare, non alzare la voce. Ci hai pensato un po' tardi, al tuo dovere. Ma del resto è meglio così: quello che è accaduto sarebbe accaduto lo stesso, e tu mi avresti maledetto. Anche adesso, vedi, sei cambiato con me! Io non sono più Annesa: sono una donna malvagia. Ma vedi, cuore mio, sono contenta che non mi maledici. Avevo paura di questo. Sono contenta che sei venuto, e non ti domando altro. Non hai, come credi, obblighi verso di me: ho fatto quello che ho fatto perché era il mio destino: non l'ho fatto solo per te: l'ho fatto per tutti voi . . . Ho fatto male, certo, ma ero come pazza, ero fuori di me: non capivo niente. Dopo, dopo ho capito. Ho detto: se loro si salveranno, se io mi salverò, voglio andarmene, voglio vivere lontano da lui, per non peccare più.»

«Dove andrai?» egli domandò. «Tu sei malata, sei invecchiata. Che farai? La serva. Sai cosa vuol dire far la serva? Sai com'è la famiglia presso la quale devi andare? Io li conosco, i tuoi padroni: non ti ameranno certo. Cadrai inutilmente come queste foglie qui.»

«L'edera stava per soffocare l'albero: meglio che sia stata strappata» rispose, commossa dalla pietà che egli finalmente le mostrava, e nascose il viso fra le mani.

Paulu continuò a parlare: lei stava seduta sulla pietra come quando, sullo scalino della porta dell'orto, svolgeva nella mente il filo dei suoi tristi pensieri: capiva che Paulu, in fondo, era contento di liberarsi di lei, e Paulu a sua volta, sentiva che le sue parole erano inutili e non arrivavano fino all'anima di lei.

Da lontano si sentì arrivare la *corriera*.

«Addio» ella disse. «Stringimi la mano: saluta i tuoi, don Simone, ziu Cosimu, donna Rachele. Va: addio.»

Egli non si mosse.

La corriera si avanzava ed Annesa si alzò.

«Paulu, addio. Stringimi la mano.»

Ma egli, pallidissimo, si volse il viso dall'altra parte: «No, no! Non voglio dire addio, né stringerti la mano. Ci rivedremo! Vattene pure: non te lo impedisco; ma non ti perdono. Annesa, tu oggi mi offendi, come nessuno mai mi ha offeso. Va pure, va!»

«Paulu, cuore mio» ella gridò. «Perdonami; guardami! Non farmi partire disperata. Perdonami, perdonami!»

«Vieni con me. Andiamo. Vado ad avvertire ziu Sogos che passi diritto.»

Allora ella gli si gettò al collo, per impedirgli di muoversi: e fra le braccia di lui, che l'accoglieva sul petto con vera pietà, tremò tutta come un uccellino ferito.

«Andiamo, andiamo» egli ripeteva, «andiamo dove vuoi. Abbiamo peccato insieme, faremo *penitenza* insieme.»

La corriera arrivò e si fermò sul ponte. Annesa sentiva che Paulu le parlava così perché era certo che ella sarebbe partita: non le venne neppure in mente di metterlo alla prova. Si staccò da lui e senza dirgli più una parola prese il suo fagotto e si diresse verso la strada.

Egli non la seguì.

---

corriera, carrozza che porta delle persona e la posta
penitenza, azione che fa una persona pentita per cancellare un peccato o una colpa

Domande

1. Per quali diversi motivi Paulu vuole e allo stesso tempo non vuole portar via Annesa?

2. Come risponde Annesa?

3. Perché Annesa rinuncia a un futuro insieme con Paulu?

11

E anni e anni passarono.

I vecchi morirono: i giovani invecchiarono. Gantine prese moglie.

Conosciuta la storia di Annesa, la famiglia presso la quale lei doveva andare a servire, non volle più saperne di lei. Fu accolta in un'altra famiglia dove la signora la bastonò. Non era la vita di penitenza sognata dalla donna colpevole, ma neppure una vita molto allegra.

Cambiò di padrone: capitò finalmente presso un vecchio prete, dove poté fare tutto quello che volle. Allora fu conosciuta come donna *pietosa*: fu veduta dietro tutti i funerali, fu chiamata ad assistere i moribondi, a lavare e vestire i cadaveri.

E così gli anni passarono. Una volta donna Rachele venne a Nuoro e andò a trovare Annesa. L'abbracciò, e piansero insieme; poi la vecchia dama, pallida e triste nel suo scialle nero, prese la mano della serva e cominciò a lamentarsi.

«I vecchi, tu lo sai, sono morti. Rosa è sempre malata; Paulu è invecchiato, soffre di *insonnia*; non è buono a niente. Anch'io sono invecchiata. Abbiamo bisogno di una donna fedele, in casa. Abbiamo avuto una serva che ci rubava tutto. Che cosa accadrà, se io morrò?»

Annesa credette che donna Rachele volesse proporle di tornare da lei, e benché decisa di rifiutare si sentì battere il cuore. Ma la vecchia non continuò.

Poi un giorno, qualche tempo dopo, Annesa si vide

---

pietoso, che compie atti di pietà
insonnia, difficoltà a prender sonno

Paulu comparire davanti come un *fantasma.* Era diventato davvero il fantasma di se stesso: vecchio, magro, coi
capelli bianchi. Durante tutti quegli anni aveva sempre
continuato la sua vita di prima senza fare niente. Finalmente era stato molto malato. Annesa si spaventò nel vederlo. Egli le raccontò i suoi mali:

«Tutte le notti sogno il vecchio. Mi impone di venirti a
trovare e di costringerti a sposarmi. Che facciamo, Annesa? Non hai *rimorsi,* tu? Che facciamo? In casa mia c'è
bisogno di una donna fedele. Anna, ritorna, se vuoi fare
penitenza.»

«Donna Rachele ha paura di me» rispose Annesa; «soltanto se lei vuole posso ritornare.»

Paulu se ne andò. Un altro anno passò, poi un giorno
Annesa ricevette una lettera con la quale la vecchia dama la pregava di ritornare.

Annesa abbandonò con dolore la tranquilla casetta
del parroco. La vecchia casa Decherchi pareva una *rovina,* pronta a cadere e a seppellire le tre povere creature
che l'abitavano.

Annesa rientrò piangendo in quel luogo di pena: vide
donna Rachele sul letto, nella camera da pranzo e una
vecchietta che stava seduta accanto al letto, con due
grandi occhi che avevano uno sguardo strano e diffidente.

«Rosa? Rosa mia!»

Ma Rosa non la riconobbe; e quando seppe che quella
piccola donna che sembrava più giovane di lei era Anne-

---

fantasma, ombra; immagine non reale
rimorso, dolore per le colpe commesse
rovina qui casa abbandonata e cadente

sa, l'antica figlia d'anima, la sua futura *matrigna,* la guardò ancora più diffidente.

In quel momento rientrò Paulu: era stato a messa.

«Che nuove a Nuoro?» le domandò semplicemente stringendole la mano. «Fa molto caldo?»

«Non molto» ella rispose.

Come in una sera lontana, ella apre la porta che dà sull'orto e si siede sullo scalino di pietra. La notte è calda, tranquilla. Tutti dormono: anche Paulu che soffre di lunghe insonnie nervose. Da qualche giorno, però, egli è tranquillo. La sua coscienza sta per calmarsi. Domani Annesa avrà un nome: si chiamerà Anna Decherchi. Tutto è pronto per le *nozze* modeste. Anna ha preparato tutto, e adesso siede, stanca, sullo scalino della porta.

E pensa, o meglio non pensa, ma sente che la sua vera penitenza, la sua vera opera di pietà è finalmente cominciata. Domani si chiamerà Annesa Decherchi: l'edera si riattaccherà all'albero e lo coprirà pietosamente con le sue foglie. Pietosamente, poiché il vecchio tronco, oramai, è morto.

---

matrigna, seconda moglie del padre
nozze, matrimonio

Domande

1. Com'è la vita di penitenza di Annesa?

2. Come continua la vita in casa Decherchi?

3. Perché Paulu le chiede di ritornare?

4. Che cosa rimane della casa e della famiglia Decherchi?

5. Che cosa rimane dei sentimenti di Paulu e di Annesa?